KB077113

소방공무원 자살예방 심리지원 제도의 이해

소방공무원 자살예방 심리지원 제도의 이해
발　행 | 2024년 04월 15일
저　자 | 박찬석
펴낸이 | 한건희
펴낸곳 | 주식회사 부크크
출판사등록 | 2014.07.15.(제2014-16호)
주　소 | 서울특별시 금천구 가산디지털1로 119 SK트윈타워 A동 305호
전　화 | 1670-8316
이메일 | info@bookk.co.kr

ISBN | 979-11-410-8106-5(93330)

www.bookk.co.kr

소방공무원 자살예방 심리지원 제도의 이해

박찬석 지음

이 저서는 2020년 대한민국 교육부와 한국연구재단의 인문사회분야 신진연구자지원사업의 지원을 받아 수행된 연구임
(NRF-2020S1A5A8043251)

■ 머리말

대한민국 소방공무원 조직은 지난 10년간 순직자보다 자살자가 많은 공무원 조직이라는 오명속에 성장해 왔다. 소방공무원이 재난현장에서 스트레스와 트라우마를 지속적으로 경험한다는 것은 누구나 예상할 수 있는 문제임에도 소방관들의 자살문제는 공무원 개인의 문제로 치부되어 무의사결정 영역에 머물러 왔던 것이 현실이었다. 다행히 소방공무원들의 이러한 외침에 소방청을 중심으로 소방공무원의 심리적 문제와 자살에 대한 다양한 예방정책과 대응방법이 마련되어 시행되게 되었다.

제1장에서는 재난현장의 피해자 유형별로 겪을 수 있는 재난심리를 설명하고 숨겨진 피해자인 제3차 피해자로써 소방공무원의 심리적 반응를 살펴보았다.

제2장에서는 현행 소방공무원의 정신건강현황을 제시하고, 제3장에서는 소방청 및 시·도 소방본부에서 시행중인 심리지원 제도를 간략히 소개하였다.

마지막 제4장에서는 회복탄력성에 대한 설명과 함께 소방공무원에 적용할 수 있는 심리적 회복탄력성 훈련 프로그램을 도출하고 이에 대한 효과성 검증 결과를 제시하였다.

이 책을 통해 지금 이 순간에도 국민의 생명을 구하기 위해 현장을 누비고 있을 소방공무원의 비극적 선택을 조금이나마 예방하는데 기여하여 더 많은 소중한 생명과 재산을 지켜내는데 도움이 되었으면 하는 바람을 갖는다.

마지막으로 이 책이 나오기까지 도움을 준 사랑하는 아내 석혜민박사, 딸 하연양과 제자들에게 감사의 말을 전한다.

저자 박 찬 석

차 례

1장

재난피해자 유형별 재난심리

재난 피해자는 일반적으로 세 가지 유형으로 나뉜다. 첫째로, 1차 재난 피해자는 해당 재난에서 살아남은 사람들과 그 가족들이다. 둘째로, 2차 재난 피해자는 살아남은 사람들의 친척이나 친구들을 포함한다. 셋째로, 3차 재난 피해자는 구조 대원 등 재난 현장에서 도움을 준 사람들이다.

1. 1·2차 재난피해자의 재난심리

가. 3단계 심리적 반응 단계

재난 피해자들은 보통 충격(Shock reaction), 반동(Recoil reaction), 회상(Recall reaction)의 3단계 심리적 반응을 보이게 된다.

첫 번째 단계인 "충격"은 재난에 직면했을 때 나타나는 반응으로, 사람마다 다양한 반응을 보인다. 생존자 인터뷰를 토대로 한 조사에 따르면, 10~20%만이 냉정함을 유지하며 행동했고, 70%는 당황하여 이성적으로 대응하지 못했으며, 나머지 10%는 심한 공포와 불안으로 공황 상태나 분노를 보였다고 한다. 이 단계에서는 희생자들에게 아무런 도움을 줄 수 없는 시기이다.

충격 반응 중 가장 흔한 반응은 멍한 상태로 정신이 없는 것이다. 생명을 구한 사람들은 울지도 푸념하지도 못하며, 자신의 가족이나 배우자가 사망한 사실에 감정 없이 이야기하기도 한다.

이 단계에서는 가까운 사람의 사망에 대해 마치 남의 일처럼 반응한다.

두 번째 단계인 "반동반응"은 위험에서 벗어난 후 나타나는 반응으로, 생존에 대한 안도감을 느끼는 시기이다. 이때 사람들은 허탈한 웃음이나 울음을 흘리며, 신경질을 부리거나 분노를 느낄 수 있다. 이는 앞서 겪은 충격에 대한 반응이다. 작은 소리에도 놀라며, 몸에 손이 닿는 것에도 놀라는 경우가 있다.

이러한 반동반응은 여러 요인에 영향을 받는다. 사고 현장에 있었는지 여부, 가족 중 사망자의 여부, 자신의 부상 여부, 재난 발생 당시의 인식 여부 등이 그 강도를 결정한다.

사람들은 위험이 지난 직후에 정서적 반응뿐만 아니라 신체적 반응도 보인다. 이 때 자신이 위험을 무릅쓰고 타인을 도우려는 용감한 행동을 보이는 경우도 있지만, 자신만을 생각하고 비겁하게 행동하는 사람도 있다. 그리고 어떤 사람들은 물건을 채우려고 하는 욕망을 보이기도 한다.

사람들의 행동이 혼란스럽게 보이는 이유 중 하나는 정보의 부족 때문이다. 때문에 많은 사람들이 자신만 재난을 겪은 것으로 착각하고 피해가 얼마나 심각한지를 이해하지 못하는 경우가 많다.

세 번째 단계인 "회상반응"은 안전한 환경에서도 재난 상황이 계속해서 떠오르며 긴장을 풀지 못하는 특징을 보인다. 이 단계에서는 자신이 겪은 재난 상황에 대해 계속 이야기하려는 경향이 있다. 또한, 기억을 완전히 상실하는 경우도 있으며, 많은 생존자들은 불면증과 악몽에 시달린다. 정서적인 불안정으로 여러 신체적 증상이 나타나기 시작한다.

나. 인지·감정·신체·행동 반응과 외상후 성장

재난피해자들은 기억의 재경험, 악몽, 환각의 재현, 정서적인 무감각, 상황에 대한 회피, 과잉 각성과 불안, 해리반응 등 다양한 반응을 보이게 되는데, 이러한 반응은 정상적인 반응으로 상당기간 지속되다가 점차 감소된다. 그러나 개인에 따라 이러한 반응이 지속되어 정신적 고통에 시달리기도 한다.

1) 감정적 반응

갑작스럽게 발생하는 재난뿐만 아니라, 예고되었던 재난인 경우에도 심리적 압박감은 매우 크다. 자기의 생명에 대한 위협을 느낄 뿐 아니라, 다른 사람의 죽음을 목격하는 것은 향후 세상을 살아가는 동안에 일어날 수 있는 모든 일에 의구심을 갖도록 하며 자기가 살고 있는 세계가 안전한지 아닌지에 대해서 지속적인 의심을 품는다. 가족이나 가까운 사람이 사망한 경우에는 그 고통과 두려움이 매우 강한 스트레스를 일으킨다.

- 인간에 대한 신뢰감, 흥미, 의욕 상실
- 무력감, 자제력 상실
- 감정의 마비

· 노여움, 분노
· 걱정, 공포, 슬픔, 절망
· 쉽게 울고, 안절부절, 좌절

2) 인지적 반응

재난상황에서의 외상적 사건을 악몽이나 플래쉬백(Flashback) 현상으로 반복 체험하게 된다. 일상생활에 대한 집중력이 저하되고 과민반응을 보이며, 시간, 장소, 사람에 대해 분별이 되지 않거나 혼돈하는 반응을 보인다.
· 집중력 손상
· 의사결정 능력 상실
· 기억장애
· 혼란, 걱정
· 자존감 저하, 자기비하

3) 신체적 반응

재난으로 인한 신체적 피로, 감기, 악몽과 불면증에 시달리거나 반대로 잠을 너무 많이 잘 수도 있다. 재난으로 인한 충격과 심리적 손상이 불안, 초조감과 더불어 무의식적으로 신체적인 증상으로 전환되어 마비, 실명, 통증 등으로 표출된다.
· 식욕저하
· 깜짝 놀라는 반응
· 두통

· 위장장애

4) 대인관계 반응

괴로운 감정을 잊기 위해 술, 마약, 과식, 무분별한 생활에 빠지기도 하고 일에만 몰두하기도 한다. 대인관계에서 무관심하고 멍한 태도, 문제해결 능력과 대응기술의 저하 대인공포, 성기능장애, 약물의존, 자살 등으로 발전하며 이혼이나 실직 등 일상생활의 파탄을 초래한다.

· 불신 : 남을 쉽게 믿지 않는다.
· 쉽게 발끈 하는 성질을 보인다.
· 중요한 사건을 가볍게 보는 경향이 있을 수도 있다.
· 사회생활이 위축된다.
· 군중이나 낯선 사람에게 혹은 혼자 있는 것에 대해 두려움을 느낀다.
· 자신의 의견을 표현하거나 의사소통 하는데 어려움을 느낀다.
· 학업이나 업무 성과가 떨어진다.
· 부부나 대인관계에서 갈등이 유발된다.

<표 1-1> 재난피해자의 반응[1]

인지 반응	감정 반응	신체 반응	행동 반응
• 집중력 저하 • 혼돈 • 지남력 상실 • 결단력 장애 • 기억력 저하/장애 • 원치 않는 기억들의 반복적인 회상 • 판단력 저하와 의사 결정 능력 상실 • 사실의 왜곡 • 자존감 저하 • 자기 효능감 저하	• 심리적 충격 • 압도당한 느낌 • 우울, 절망감 • 상실감 • 자신이나 사랑하는 사람이 해를 당할 것 같은 공포심 • 감정이 무디어지고 멍해짐 • 단념과 자포자기 • 감정의 불확실성 • 흥분 • 노여움, 화 • 슬픔과 죄의식 • 조급해지며, 자제력이 저하됨 • 무기력감 • 삶이 무의미해짐 • 즐거움의 상실	• 메스꺼움 • 현기증 • 어지러움 • 위장장애 • 식욕저하 • 심장박동의 증가 • 떨림 • 두통 • 이를 감 • 피로감 • 수면장애/불면증 • 통증 • 지나침 각성 • 신경질 • 면역력 저하 • 활력 저하 • 놀람 반응	• 의심 • 민감해짐 • 논쟁이 잦아짐 • 침묵 • 부적절한 유머 • 과식 혹은 식사 거부 • 성적인 욕구나 기능의 변화 • 흡연량 증가 • 약물 남용 • 소외감 • 사회적 위축 • 사람들 사이의 갈등 증가 • 작업능력 손상 • 학업 또는 학습 능력 손상

1) 소방방재청(2013), 재난심리지원 매뉴얼, 발간등록번호 11-1660000-000666-14, 수정본, P47

5) 외상 후 성장 (PTG : Post Traumatic Growth)

심리적 고통을 겪으면서 삶의 가치와 안목이 달라지고 이전의 삶에 대한 관점과 철학이 바뀌는 모습을 나타낸다. 다시말해 심적외상을 받은 뒤, 회복력을 통해 이루어지는 심리적 성장을 말한다. 이는 외상이전보다 스트레스에 대한 면역력을 높일 수 있게 된다.

2. 3차 재난피해자의 재난심리

구조, 구급, 그리고 구호활동을 하는 사람들은 직무상 혹은 어떠한 비참한 현장이라도 피할 수 없다. 이들은 용감하고 강한 이미지와 사회적 기대에 의해 자신들의 고통을 드러내지 않으며 약한 모습을 보이지 않는다. 그러나 Kliman이 말한 것처럼, 이들은 "드러나지 않는 재난피해자(The Hidden Victim of Disaster : Helper Stress)"로 감정을 억제함으로써 만성적인 스트레스, 사건 현장의 계속되는 상기, 가정과 직장에서의 고립, 그리고 일상생활 속에서의 강박 등을 경험한다. 이들은 다양한 심리적 증상을 보이며, 3차 재난 피해자들이 재난 상황에서 겪을 수 있는 심리적, 신체적 반응은 다음과 같다.

가. 동일시

구조대원들은 희생자의 사체를 보면서 자신이나 자신이 잘 아는 친지를 떠올리고 희생자와 자신을 동일시하는 경험을 보이곤 한다. 동일시란 다른 사람을 자신과 비슷한 사람으로 인식하면서 감정이 결부되는 과정으로 희생자의 사체를 통해 가족이나 자신에게 느끼는 비슷한 감정을 경험하고 이로 인해 고통을 느낀다.

나. 고양감

훈련을 전문적으로 받은 직업적인 구조자라도 구조 활동 수행 중에 기분이 고양되는 것을 경험한다. 큰 성과를 올리거나 주위로부터 상이나 칭찬을 받은 경우에는 충족감, 만족감과 같이 벅찬 감정이 생기게 된다. 또한 사회의 관심과 주목이 생기는 대규모 재해에는 피해자를 직접 보고 싶은 호기심과 구조에 관여하고 싶은 충동이 생겨 활동에 참여하는 사람도 적지 않다. 그러나 들뜬 기분이 필요이상으로 길게 지속되면 주위와 여러 가지 갈등을 낳을 뿐만 아니라 업무 수행에도 지장을 초래한다.

다. 무기력감, 죄책감

재난현장에서 작업 중인 구조대원들은 당장 피해자들을 살려한 한다는 책임감에 압도당한다. 피해자들의 삶에 대한 간절한 소망이 구조대원들에게 전달되면 이러한 느낌이 오래도록 구조대원들에게 부담이 될 수 있다. 특히, 피해자가 사망하였을 경우, 이러한 느낌은 죄책감으로 남아 구조대원들에게 심적 부담으로 작용한다.

라. 공포감

연기로 가득 차 있거나 깜깜한 어둠 속에서 앞에 어떤 것이 있을지 모르는 상황은 공포감과 긴장감을 유발한다. 상황이 어떻게 전개될지, 앞으로 어떤 것들과 대면할지 모르는 상황에서 벌이는 작업은 극도의 긴장감을 유발할 수 있고 심할 경우 해리증상을 유발할 수 있다. 이러한 해리증상은 외상 후 스트레스 장애를 일으킬 수 있다.

마. 분노와 불신

대부분의 구조 활동은 조직적으로 행해지므로 그것이 잘 되지 않았을 때나 순직 등과 같은 비극적인 결과를 초래하게 되면 동료나 상사 또는 조직에 대해서 분노와 불심감을 표출 할 수 있다. 소방이나 경찰조직들은 상하 관계로 이루어진 조직이기 때문에 분노와 불신은 표출되지 못하는 경우가 많고 사기 저하 등으로 나타난다.

바. 의욕저하

만족스러운 활동을 하지 못했다는 불완전감은 죄책감으로 이어진다. 또한, 많은 구조대원은 불면증에 시달리고 있으며 일부는 악몽 때문에 괴로움을 당하기도 한다.
많은 구조대원들은 구조작업이 끝난 후에도 사고나 재난현장의 냄새가 코 끝에 남아 있고 씻어도 지워지지 않는다고 한다. 그

결과 노동의욕의 저하를 가져오게 되며 극단의 경우 퇴직자가 발생하기도 한다.

사. 육체의 피로

구조 현장에서 구조대원과 봉사자들은 심한 피로를 경험한다. 구조를 바라는 사람을 눈앞에 두고 편안히 휴식을 취하는 것은 어려울 수 있다. 따라서 일반적으로 구조대원들은 극심한 피로와 신체적으로 탈진된 상태에서 작업을 진행한다. 심한 피로는 집중력이나 판단력을 떨어뜨릴 수 있는데 이러한 이유로 작업 효율성이 떨어지면 작업이 끝난 후에도 무기력감 및 죄책감을 호소하게 된다.

3. 일반시민의 재난심리

일반 시민들은 언제 어디서 발생할지 모르는 재난에 노출되어 있는 예비 피해자로, 대부분은 살면서 거대한 재난을 경험할 기회가 거의 없기 때문에 상황을 긍정적으로 판단하고 자신에게는 예외가 적용될 것이라고 믿는다. 예를 들어, 재난이 발생해도 자신은 무사할 것이라고 생각하거나, 자신이면 어떤 상황에서도 충분히 대처할 수 있을 것이라고 자신하게 된다.

한편, 재난 현장을 지켜보는 일반 시민들은 종종 공황의 환상을 경험하기도 한다. 이는 재난 현장이 실제보다 더 혼란스럽게 보이는 현상으로, 재난 현장에 몰려든 구조 인력, 피해자를 찾는 가족들, 정보를 얻기 위해 몰려든 인파 등이 실제보다 과대하게 해석되는 현상을 말한다.

2장

소방공무원 정신건강현황

1. 소방공무원 업무의 특수성 (위험성·긴급성·돌발성)

소방공무원은 자체적인 물리적 위험환경을 가진 특수한 직무를 수행하는데, 이는 일반직 공무원이나 민간기업 직원과는 차별화된 특성을 지닌다.(고병구, 2006).

화재 진압, 구조 및 구급 활동은 소방공무원이 항시 사망, 부상 등의 위험에 노출되는 업무 특성을 가지고 있으며, 예고 없이 발생하는 다양한 재난 현장에 신속히 대응하기 위해 24시간 동안 비상 대기 상태를 유지하며, 이로 인해 근무시간 동안 지속적인 긴장 상태에 놓여있게 된다.(주영종, 2013; 이창한 외, 2014).

소방공무원의 직무 특수성과 신체·정신 건강에 관한 연구들로는 아래와 같은 선행 연구들이 존재한다.

<표2-1> 소방공무원 직무 특수성과 신체·정신건강 관련 연구[2)]

연구자	소방직무 특수성	내용
남문현 (2010)	위험성	현장 활동 중 위험과 유독가스 등에의 노출 위험
김경식 (2011)	불확실성	현장 활동은 대기근무 중 출동지령을 통하여 시작 되며 선착대의 현장 상황보고가 나오기까지 긴장 상태가 지속
김경식 (2011)	대기성	24시간 재난 출동에 대비 3교대로 대기하며 긴장으로 인한 생리적 문제, 불규칙한 식사 등이 스트레스를 야기

2) 지성연(2018) 연구에서 재구성

2. 소방공무원 정신건강 선행연구

소방공무원과 외상 후 스트레스장애(PTSD)에 대한 연구들을 살펴보면 대구지하철 참사와 같은 큰 외상사건을 겪은 소방공무원들에 대한 연구들이 많이 이루어지고 있음을 알 수 있는데, 국내 선행연구를 정리하면 다음과 같다.

<표 2-2> 소방공무원과 외상후스트레스 장애에 대한 선행연구[3]

연구자	내용
백미례 (2007)	▪ 대구지하철 참사 경험 이후 정서적 과민형 9 명, 생리증상 경험형 9 명, 외상경험 지속형 7 명이 나타남 ▪ 참사와 관련된 상황을 회피하거나 어두운 곳을 피하고 불면, 폐쇄공포증 증상이 나타나고 음주량이 증가함.
신덕용 (2009)	▪ 대구 소방공무원의 21.5%가 외상후스트레스장애 증상이 임상적 관심을 필요로 하는 정도로 드러남. ▪ 연령과 직급이 높을수록 임상적 관심을 필요로 하는 군이 증가함. ▪ 외상후스트레스장애를 유발할 가능성이 높은 현장을 경험한 경우 상담을 받을 수 있게 하는 예방적 차원의 제도를 만들어야 함.
배점모 (2011)	▪ DSM-Ⅳ을 보완하여 사용했고, 외상후스트레스 수준을 4점 척도로 측정 시, 소방공무원의 외상후스트레스 평균값은 1.84 이고 경찰공무원은 1.78 로 소방공무원의 외상후스트레스 수준이 높음.
이희선 (2012)	▪ 직무수행 중 외상후스트레스장애 정도는 재경험이 1.99, 과각성 1.82, 회피가 1.80 으로 나타남. ▪ 51.1%가 역치 이하 외상후스트레스장애 증상 보임.
유의태	▪ 구급대원 중 98.5%가 6 개월에 1 회 이상 심각한 사고현장

3) 류인근(2014) 연구에서 재구성

(2013)	을 경험함. 연령이 높거나 기혼자일수록 사건충격정도가 증가함. ▪ 구조대원 근무기간이 '6-10년 미만(M=1.82)과 '15년 이상'(M=1.80)의 군에서 가장 높은 사건충격정도를 보임.

소방공무원과 우울장애에 대한 연구들을 살펴보면 대부분 외상후 스트레스장애와 연관되어 연구가 진행되고 있음을 확인할 수 있다.

<표 2-3> 소방공무원과 우울장애에 대한 선행연구[4)]

연구자	내용
유지현, 박기환 (2009)	▪ 외상후스트레스장애 진단율 11.1%, 부분적으로 외상후스트레스장애 증상을 경험하는 사례 10.4% ▪ 외상후스트레스장애 집단과 준 외상후스트레스장애 집단은 비외상후스트레스장애 집단에 비해 IES-R 총점, 침투, 회피 및 과각성 증상, 상태불안, 특성불안, 우울이 높게 나타남.
배정이, 김윤정 (2010)	▪ 외상후스트레스장애 고위험군(25 점을 기준)이 17.6% ▪ 외상후스트레스 정도는 외상사건의 경험, 우울, 불안 및 신체화 정도와 정적 상관관계를 가짐.
배점모 (2012)	▪ 소방공무원의 외상후스트레스와 우울 및 심리적 복지감 수준이 경찰공무원보다 전반적으로 높음. ▪ 소방공무원의 경우 외상후스트레스가 우울을 증가시키고 심리적 복지감을 떨어뜨림
김윤정, 배정이 (2012)	▪ 외상후스트레스의 직접효과 요인은 출동빈도, 외상사건의 경험, 우울이고, 간접효과 요인은 외상사건의 경험, 출동빈도, 경력임. ▪ 우울의 직접효과 요인은 외상사건의 경험이고, 간접효과 요인은 출동빈도, 경력임.

4) 류인근(2014) 연구에서 재구성

	▪ 외상사건의 경험의 직접효과 요인은 출동빈도와 경력임.
최은미 (2014)	▪ 외상후스트레스장애 25 점 이상 고위험군 65.9% ▪ 우울 21-29 점 고위험군 및 30 점 이상 임상적 진단 범주군 33.4% ▪ 외상후스트레스와 우울 간에 정적 상관관계(r = 0.66, p< 0.001) 있음.

소방공무원과 알코올 문제에 대한 연구들은 PTSD와 알코올 문제가 밀접한 상관관계에 있음을 확인해 주고 있다.

<표 2-4> 소방공무원과 알코올 문제에 대한 선행연구[5)]

연구자	내용
McFarlane (1998)	▪ Bushfire 사건 참여 소방공무원 중 음주 고위험군 141 명을 대상으로 사건 42달되는 시점에CAGE검사 시행 결과, 41.8%(n=68)에서 알코올 남용 증상을 보임. 이 중 37 명은 외상후스트레스장애군인 것으로 나타남. ▪ 외상후스트레스장애와 알코올 남용 문제와의 높은 상관관계를 보여줌.
North (2002)	▪ 오클라호마 시티 폭탄 테러 사건의 구조대원에서 알코올 남용/의존 비율이 재난 후 24%, 평생 유병률 47%로 나타남. ▪ 구조대원은 피해자에 비해 다른 질환들(외상후스트레스장애, 공황장애, 우울장애 등)보다, 알코올 남용 비율이 유의미하게 높았음.
Guo (2006)	▪ 타이완 소방공무원 1,052 명 대상 설문조사, 8.6%가 알코올 사용 장애. ▪ 다중회귀분석 결과 알코올 사용 문제는 업무 스트레스와 관련 있음.

5) 류인근(2014) 연구에서 재구성

Chiu (2011)	▪ 선행 연구에서는 알코올 남용이 외상후스트레스장애와 관련이 있다고 함. ▪ 반면 본 연구에서는 우울이 외상후스트레스장애와 알코올 사용의 관계를 중재하는 것으로 나타남.
van der Velden (2012)	▪ Haiti 지진 후 구조 업무를 했던 경찰, 소방공무원들 대상, 1 달 이내 음주량을 측정했을 때, 구조 업무 전/후 알코올 사용량 변화가 없었음.
Haddock (2012)	▪ 11 개 직업군 비교, 소방공무원군에서 과음하는 경향. ▪ 56%는 지난 달 폭음 경험, 9%는 지난 달 음주운전 경험이 있다고 응답.
오현정 (2011)	▪ 문제성음주군에서 흡연, LEC, IES-R 평균값이 유의미하게 증가. ▪ 외상후스트레스장애 증상이 알코올 섭취 및 흡연량 증가와 관련이 있음.

소방공무원과 수면장애에 관한 선행연구들은 소방공무원의 상당수가 수면장애를 갖고 있는 것을 확인해 주었으며, 교대근무와 짧은 수면 시간, 낮은 수면 효율 등이 수면장애의 주원인으로 언급되고 있다.

<표 2-5> 소방공무원과 수면장애에 대한 선행연구[6)]

연구자	내용
Mehrdad (2013)	▪ 현재 시점 수면 부족 유병률 69.9%으로 나타남.
Haddock (2013)	▪ 13.7%의 소방공무원이 과도한 주간 졸음(EDS) 증상을 나타냄. ▪ 원인으로는 48시간의 근무 스케줄과 동료 소방공무원과의 잠자리 공유, 소방 업무 외의 기타 업무 등이 있음.

6) 류인근(2014) 연구에서 재구성

Vargas de Barros (2013)	▪ 51.2%의 수면장애 평생 유병률을 나타냄.
Carey (2011)	▪ 59%의 소방공무원이 수면 박탈의 증상이 있는 것으로 보고함. 교대 근무로 인해 수면장애와 피로를 나타냄. ▪ 36%의 소방공무원이 짧은 수면 시간과 낮은 수면 효율, 잠든 후에 깨어나는(WASO) 등의 불안정 수면 양상을 보임.
Lim (2014)	▪ 수면장애의 유병률은 48.7%로 나타남. ▪ 교대근무와 우울장애 증상이 수면장애와 연관됨

3. 소방공무원 정신건강 현황

소방 조직은 화재를 포함한 재난상황에 가장 먼저 대응하는 재난대응기관으로서 소방공무원은 필연적으로 생리적·심리적 유해환경 하에서 본연의 임무를 수행하게 된다. 긴급출동으로 인한 긴장감·수면부족과 교대근무로 인한 불규칙한 생활 패턴에 시달리며, 재난현장에서 처참한 장면을 목격함에 따라 심각한 스트레스와 외상후스트레스장애(PTSD)를 겪는 경우도 많다. 그러나 지금까지 이러한 2차적 피해자들이 외상성 사건에 노출되어 그로 인한 피해를 입고 있음에도 국가에서는 사고의 직접적인 피해자에게만 초점을 맞추고 있어 이들에게는 관심이 소홀했던 것이 현실이었다. (석혜민, 2016)

최근 10년간(2012-2021) 연평균 4.4명의 위험직무순직자가 발생했는데, 동기간 연평균 10.5명의 자살자가 발생하여, 2012년을 제외하고는 자살자가 순직자보다 많은 조직이라는 오명을 갖게 되었다. 또한, 자살자 수는 감소하지 않고 오히려 증가하는 경향을 나타내고 있다. (소방청, 2023)

<표2-6> 10년간 소방공무원 자살자 현황 (단위 : 명)

비고	Total	’12	’13	‘14	‘15	‘16	‘17	‘18	‘19	‘20	‘21
자살	105	6	7	7	12	6	15	9	14	12	17
순직	44	7	3	7	2	2	2	7	9	2	3

2014년부터 전국 소방공무원들을 대상으로 심리 평가를 실시하기 시작하였는데, 2014년 설문조사 결과에 따르면 PTSD 2,806명(5.6%), 알코올사용장애 7,784명(21%), 우울장애 3,985명(10.7%), 수면장애 8,804명(21.8%)으로 치료가 필요한 것으로 나타났으며 이중 4,116명(28.6%)은 치료 의향이 있다고 답하였다. (류인균, 2014).

<표2-7> 소방공무원 심리평가 결과(2014년)[7]

구분	PTSD		알코올 사용장애		우울장애		수면장애		치료 의향
	관리 필요	치료 필요	관리 필요	치료 필요	관리 필요	치료 필요	관리 필요	치료 필요	

7) 류인근(2014) 연구에서 재구성

인원	3,752	2,806	12,238	7,784	4,886	3,985	13,507	8,804	4,116
비율	10.1%	5.6%	33%	21%	13.2%	10.7%	36.4%	21.8%	28.6%

또한, 2014년 이후부터 매년 전체 소방공무원을 대사으로 정신건강 설문조사가 수행되었는데, 2023년 분석 결과에 따르면 조사대상의 43.9%는 PTSD(외상 후 스트레스 장애), 우울증, 수면장애, 문제성 음주 등의 주요 심리 질환 중 적어도 하나에서 관리나 치료가 필요한 위험군으로 확인되었다. 좀더 세부적으로 보면 PTSD는 6.5% (3412명), 우울 증상은 6.3% (3323명), 수면장애는 27.2% (1만 4297명), 문제성 음주는 26.4% (1만 3681명)로 나타났다. 전년 대비해서 PTSD와 우울 증상, 수면 문제는 각각 1.6%, 1.3%, 2.6% 포인트 감소한 것으로 확인되었으나, 이는 2022년을 제외하면 2015년 이후 8년 만에 두 번째로 높은 수준임을 보여주며, 수면 문제는 최근 5년 동안 두 번째로 높은 발생률을 기록했으며, '폭음' 등 문제성 음주는 지난해에 이어 2년 연속 증가세를 보이고 있다. (소방청, 2024)

<표2-8> 소방공무원 정신건강 설문조사 결과(9년)

구분	조사대상자 (명)	PTSD		우울증		수면장애		문제성 음주	
		위험군 (명)	Ratio (%)	위험군 (명)	Ratio (%)	위험군 (명)	Ratio (%)	위험군 (명)	Ratio (%)
2015	38,776	2,340	6.0%	2,038	5.3%	10,717	27.6%	10,424	26.9%
2016	41,065	1,954	4.8%	2,099	5.1%	11,853	28.9%	10,742	26.2%
2017	42,987	1,401	3.3%	1,960	4.6%	12,397	28.8%	11,952	27.8%
2018	45,719	2,019	4.4%	2,237	4.9%	10,581	23.1%	12,959	28.3%
2019	49,649	2,804	5.6%	2,308	4.6%	12,577	25.3%	14,841	29.9%
2020	52,119	2,666	5.1%	2,028	3.9%	12,127	23.3%	15,618	30%
2021	53,980	3,093	5.7%	2,379	4.4%	12,310	22.8%	12,271	22.7%
2022	54,056	4,364	8.1%	4,129	7.6%	16,108	29.8%	14,149	26.2%
2023	52,802	3,412	6.5%	3,323	6.3$	14,297	27.2%	13,681	26.4%

이처럼 소방공무원은 일반인 및 타 직군의 공무원에 비하여 재난현장으로부터의 트라우마에 노출될 가능성이 높은 직군으로 특히 PTSD(외상후스트레스장애), 수면장애, 문제성 음주와 자살예방 측면에서의 국가적 차원의 대처가 반드시 필요하다고 할 수 있다. 석혜민(2016)은 기존 재난대응공무원 정신건강관리의 문제점으로 ①관리시스템 측면에서 미국의 국립 PTSD센터와 같은

국가적 차원의 통합관리체계의 부재문제, ②교육·관리 프로그램 측면에서는 심신안정 프로그램 미비, 교육부재의 문제, 소방학교 정신건강교육 교과편성 및 운영상의 문제, 이론 위주의 교육프로그램의 교육적합도 문제, 관리프로그램 수혜자 은닉성 보장 문제를 제기하였다. 그 중에서도 전문가들이 가장 중요도가 높다고 판단한 항목은 이론 위주의 교육프로그램의 교육적합도 문제와 관리프로그램 수혜자 은닉성 보장 문제이었다.

소방공무원 현행 심리지원제도의 가장 큰 문제점은 소방공무원은 본인의 심리적 문제를 외부로 표출하지 않으려는 은닉성 문제에 대한 고려가 배제되어 있으며, 이론위주의 관리교육프로그램이 많이 구성되어 있어 적합도와 만족도 면에서 문제가 제기되고 있다. 은닉성과 적합도를 고려한 심리지원제도와 프로그램의 도입이 절실한 상황이다.

특히, 트라우마를 경험한 소방공무원의 심리적 문제 해결의 근본적 대책이라 할 수 있는 심리적 회복탄력성 향상을 위한 프로그램에 대한 고려가 부족한 상황으로 은닉성과 적합성 문제를 해결할 수 있는 프로그램의 구성에서 회복탄력성 향상을 위한 대책이 강구되어야 할 것이다.

회복탄력성은 자신의 내·외적 자원을 활용해 다양한 스트레스나 위기 등 부정적인 상황을 극복해내는, 상황에 알맞고 유연하게 적응하는 개인의 능력으로 알려져 왔는데, 이러한 회복탄력성은 선천적으로 타고나는 특성이 아니라 꾸준한 연습과 학습을 통해 증진될 수 있으며, 회복탄력성이 낮은 조직구성원은 스트레스와 부정적 정서를 견디지 못하고 힘들어 하지만, 회복탄력성이 높은 조직구성원은 스트레스에 보다 효과적으로 대처하고 적응하여 업무 효율성을 높이고 직무의 전문성을 쌓아 나갈 수 있게 된다. (박해경, 2018)

더불어 은닉성 문제 해결을 위한 심리지원 바우처제도, 자가훈련프로그램의 보급, 심리지수를 고려한 보직경로제의 운영등의 제도적 보완이 필요하다.

3장

소방공무원 심리지원제도

1. 소방청 보건안전 및 복지 관련 제도

소방청에서 시행하고 있는 주요 심리지원제도들을 2021년부터 2025년까지 『보건안전 및 복지 기본계획』과 『보건안전 및 복지 연도별 시행계획』에 근거하여 소개하면 다음과 같다.

가. 제1차 보건안전 및 복지 기본계획

2016년 부터 2020년 까지 시행되었던 제1차 제1차 보건안전 및 복지 기본계획의 운영체계는 다음과 같았다.

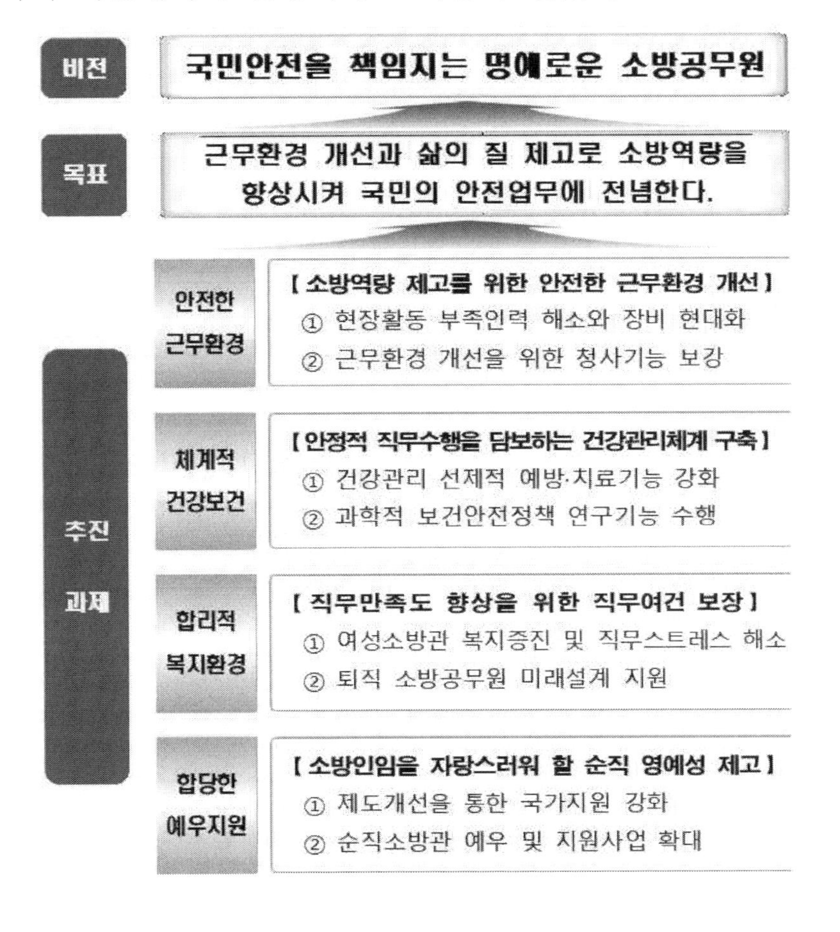

제1차 보건안전 및 복지 기본계획의 성과 중 소방공무원의 정신건강과 관련한 주요성과는 다음과 같이 정리할 수 있다.

<표3-1> 제1차 보건안전 및 복지 기본계획 정신건강과 관련한 주요성과

1. 보건관리 환경조성

가. 소방공무원 보건안전 관리 시스템 구축(http://www.hsms.go.kr)
: 출동정보, 유해인자, 신체건강, 정신건강, 안전관리, 보건관리 등

나. 국립소방병원 건립 추진
: 근거법령 마련, 예비타당성 조사 및 예산확보

다. 119트라우마관리센터 건립 추진(국유재산관리기금)

2. 보건안전지원 사업 확대 : 사업대상 확대 및 운영내용 다변화

구분	찾아가는 상담실	스트레스 회복력 강화 프로그램	마음건강 진료비 지원	심신안정실
2017	21,696명 / 21.3억	930명 / 4.65억	6,567명 / 4.02억	144개소
2018	26,103억 / 21억	1,886명 / 9.3억	6,249명 / 4.09억	63개소
2019	37,732명 / 30억	1,478명 / 7억	5,011명 / 5.22억	94개소

3. 특수건강진단 전면 개편
: 항목 및 구분 개선, 사후관리 강화(보건안전관리규정 개정)

4. 소방 보건안전 관련 연구기능 강화

가. 정신건강

: 정신건강사업 체계화 연구, 마음건강 설문조사 통계 및 분석

나. 신체건강

: 감염병 예방 및 관리방안 연구, 소방전문치료센터 운영관리 및 평가지침 개발 등

다. 환경조성

: 국립소방병원 입지선정 및 설립방안 연구, 보건안전 관리 시스템 구축 등

나. 제2차 보건안전 및 복지 기본계획

2021년 부터 2025년 까지 시행중인 제2차 보건안전 및 복지 기본계획의 추진체계를 살펴보면 다음과 같다.

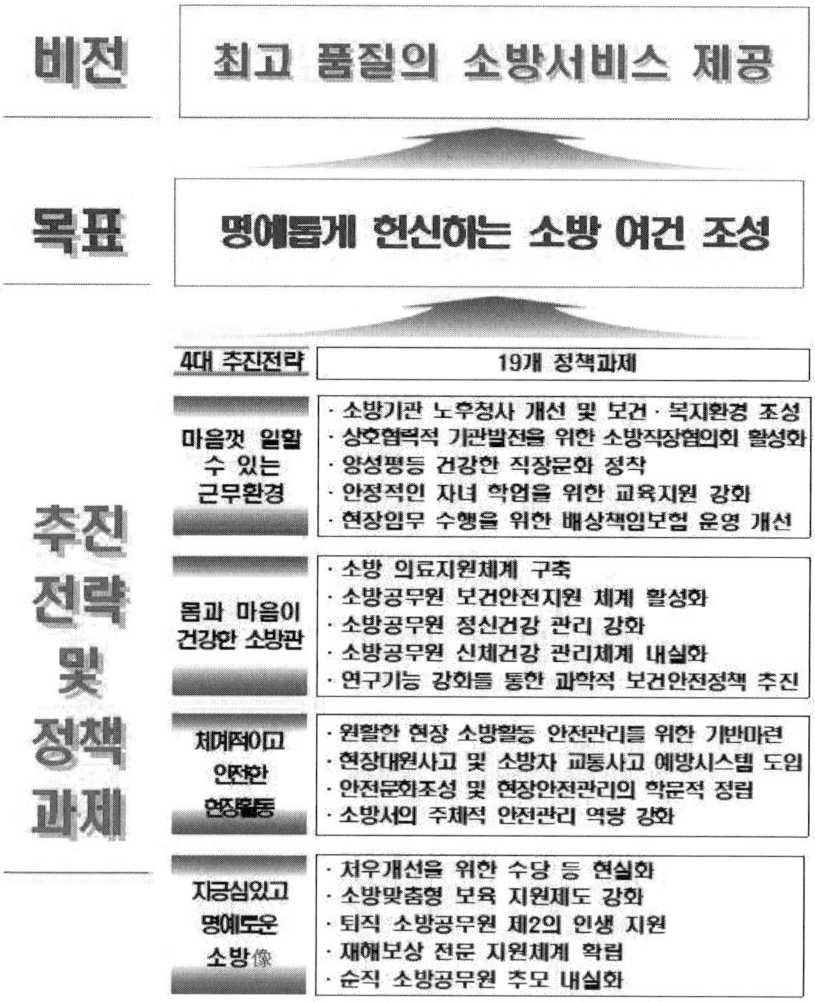

비전: 최고 품질의 소방서비스 제공

목표: 명예롭게 헌신하는 소방 여건 조성

추진전략 및 정책과제

4대 추진전략	19개 정책과제
마음껏 일할 수 있는 근무환경	· 소방기관 노후청사 개선 및 보건·복지환경 조성 · 상호협력적 기관발전을 위한 소방직장협의회 활성화 · 양성평등 건강한 직장문화 정착 · 안정적인 자녀 학업을 위한 교육지원 강화 · 현장임무 수행을 위한 배상책임보험 운영 개선
몸과 마음이 건강한 소방관	· 소방 의료지원체계 구축 · 소방공무원 보건안전지원 체계 활성화 · 소방공무원 정신건강 관리 강화 · 소방공무원 신체건강 관리체계 내실화 · 연구기능 강화를 통한 과학적 보건안전정책 추진
체계적이고 안전한 현장활동	· 원활한 현장 소방활동 안전관리를 위한 기반마련 · 현장대원사고 및 소방차 교통사고 예방시스템 도입 · 안전문화조성 및 현장안전관리의 학문적 정립 · 소방서의 주체적 안전관리 역량 강화
자긍심있고 명예로운 소방像	· 처우개선을 위한 수당 등 현실화 · 소방맞춤형 보육 지원제도 강화 · 퇴직 소방공무원 제2의 인생 지원 · 재해보상 전문 지원체계 확립 · 순직 소방공무원 추모 내실화

제2차 보건안전 및 복지 기본계획 중 소방공무원의 정신건강 관련 주요 정책을 소개하면 다음과 같다.

<표3-2> 제2차 보건안전 및 복지 기본계획 정신건강과 관련 주요 정책

1\. 소방 의료지원체계 구축

가. 특수근무환경에 노출된 소방공무원 진료(21개 과목)와 재활(근골격계), 정신건강, 연구기능까지 수행하는 “국립소방병원” 건립(일반진료 포함, `24년 12월 개원 목표)

나. 소방의료인력 양성 체계 구축을 통한 소방보건의 확보
: “서울대학교 의과대학” 9년간(의대4년+인턴1년+레지던트4년) 위탁교육을 통해 자체 의사인력 양성방안 검토

다. 소방전문치료센터 이용 소방공무원 특수건강진단 실시로 통합 데이터 구축 등 체계적인 개인 건강관리 체계 마련

라. 기존 인사정보시스템과 보건안전 관리 시스템과의 연계솔루션 도입
: 인사정보시스템, 출동정보시스템, 온나라, 디브레인, 건강보험공단, 공무원 연금공단 등 소방관련 시스템 연계 → 정신건강 진료비 지원, 질병치료 지원관리, 공사상 관리, 현장출동 데이터 체계적 관리

마. 입직부터 퇴직까지 유해인자 노출이력(출동이력), 특수건강진단, 정신건강 상담 등 소방공무원 건강데이터의 체계적 통합 관리

2. 소방공무원 보건안전 지원체계 활성화

가. 심신건강관리 체계 강화

1) 찾아가는 상담실
: 전문심리상담사의 소방공무원 심리상담 품질개선, 상담사 1인당 상담인원 ↓, 개인 심리상담 횟수 ↑

2) 스트레스 회복력 강화 프로그램
: 마음 건강 고위험군(PTSD, 우울증 및 자살우려군) 일부 → 고위험군 전원 및 가족(4인 기준)을 포함한 심리안정 문제 해소

3) 마음건강 상담·검사·진료비 지원
: 진료비 영수증 우편 또는 보건안전 관리 시스템 개인 청구 → 병원 - 시스템 간 연동 신청절차 간소화

4) 심신안정실
: 소방안전교부세를 우선 집중 투입하여 全 소방관서 조기 구축, 現 1,070개소 중 512개 구축 완료

나. 스트레스 회복력 강화를 위한 119트라우마관리센터 건립 추진
: 프로그램 운영 및 심신건강관리 체계 컨트롤 타워 기능 수행

3. 소방공무원 정신건강관리 강화

가. 전 직원의 게이트키퍼化

1) 교육
: 소방심리지원팀을 중심으로 전 직원에 대한 게이트키퍼 양성 프로그램 '보고-듣고-말하기' 교육 확대

2) 관리자의 심리지원
: 평시 자살징후 포착 시 소방심리지원팀 및 찾아가는 상담실 상담·진료 독려, 격려와 지지 제공

나. 자살 심리부검 조사·연구 강화

1) 심리부검
: 자살사망의 심층 원인분석으로 근거 중심 자살예방정책 마련을 위한 자살사망자 심리부검 실시(최근 5년 내 자살 49명)
: 소방청 ↔ 중앙심리부검센터 협업 / 시도 본부 협조

2) 자살위험 추적연구
: 자살위험요인 규명, 자살원인 분석을 위한 자살예방 코호트(비교분석집단) 구축 및 장기추적 연구 실시

다. 신규 임용자 대상 심신건강증진 프로그램 및 보건·안전교육 시행
: 정신건강관리 OJT 교육

– 현장 배치 전 PTSD 예방완화 프로그램 및 소방업무(실무능력) 환경 적응 교육 실시(관서실습 4주차, 35시간)

라. 소방공무원 기초체력증진[8]을 위한 목표관리제 실시

1) 맞춤형 운동처방
: 화재·구조·구급현장에서 발생할 수 있는 부상 방지 및 질환자 통증관리를 위한 근력강화, 심폐지구력 향상 전문 트레이닝 시스템 마련

2) 목표관리제 도입
: 소방공무원에 필요한 체력조건 연구, 체력관리 프로그램 개발, 체력관리담당관 지정 및 목표관리제 도입 등

8) 영국 철학자 존 로크(John Locke, 1632~1704) - 건강한 신체에 건강한 정신이 깃든다

2. 세부 심리지원 체계

소방청의 정신건강 지원사업을 기반으로 각 시도별 심리지원 체계를 계획하여 운영중에 있다. 대전소방본부의 심리지원 체계의 과정을 도시화 하면 다음과 같이 정리할 수 있다.

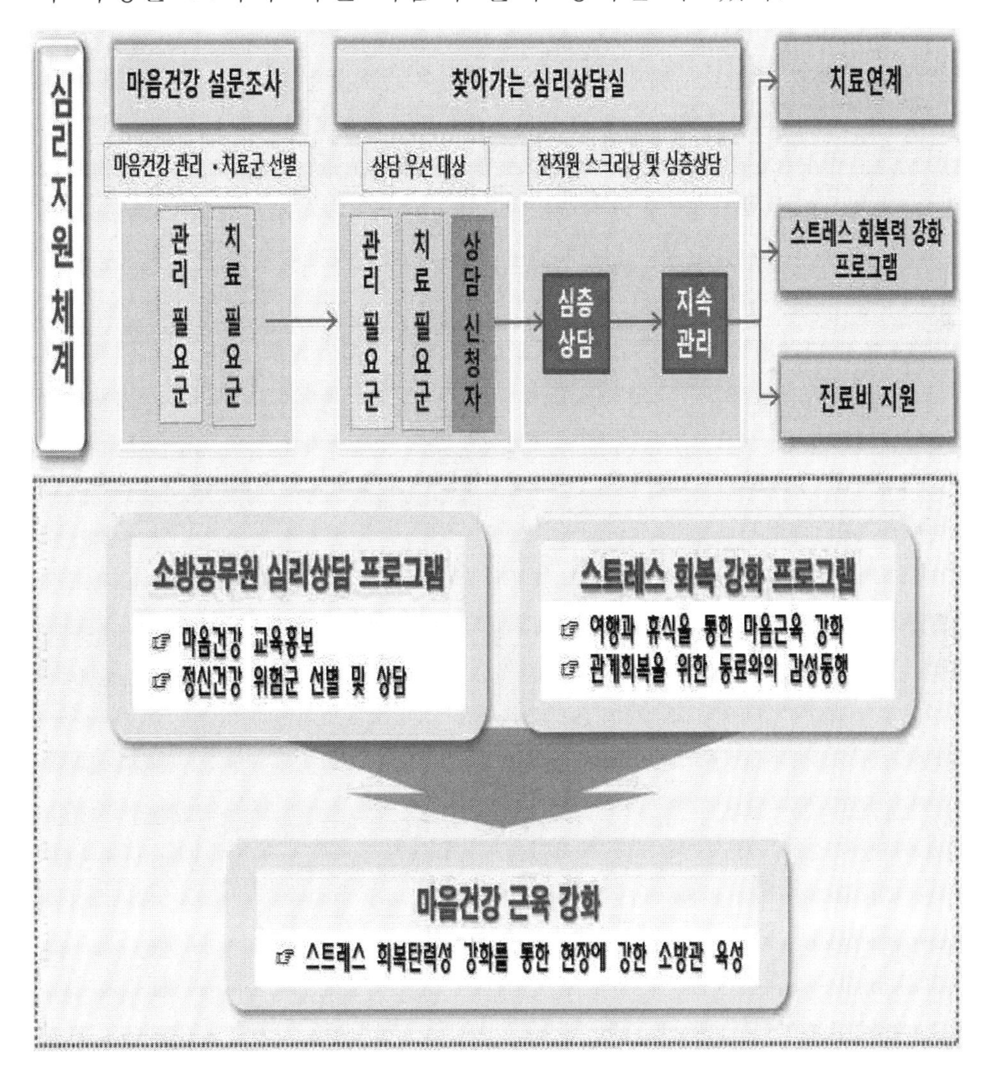

<그림3-1> 대전소방본부 소방공무원 심리지원 체계

심리지원 주요사업별로 간략히 설명하면 다음과 같다.

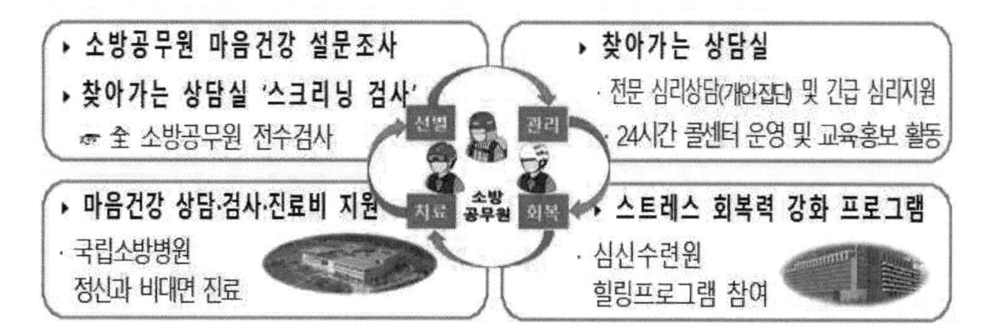

<그림3-2> 소방공무원 심리지원 주요사업

가. 소방공무원 마음건강 설문조사

2014년부터 소방공무원 심리상태에 대한 전수조사를 실시하여 심리적 위험군을 선별하여 조직차원의 관리가 가능하도록 하고 있다. 2015년부터 주요통계수치를 공개하여 소방공무원의 심리적 문제에 대하여 일반 국민들도 알 수 있도록 하고 있다. 2022년 전수조사 결과에 의하면 수면장애 위험군이 29.8%, 문제성 음주의 위험군이 26.2%를 나타내어 심리적 문제의 심각성 알 수 있다.

나. 찾아가는 심리상담실

출동빈도가 높고, 치료가 필요한 위험군을 선별하여 상담사가 소방서로 찾아가는 사업으로 현재는 권역별 전문상담기관을 선정하여 위탁운영하고 있다. 더불어 집합교육, 개별 및 집단상담, 가족상담등을 진행하고 있다. 소방공무원 직군의 특성과 은닉성 문제에 대한 이해가 부족한 업체가 선정되는 경우가 많아 일부 소방공무원 중에는 해당사업에 대한 불만을 토로하는 경우가 발생하고 있어 심도있는 논의가 필요한 프로그램에 해당한다.

<표3-3> 찾아가는 심리상담실 진행 흐름도

통합교육	현수준진단	개인상담	집단 프로그램 및 심층상담	성과분석·평가
■ 전 직원대상 사전교육 - 인식전환, 동기부여 등	■ 기본설문 및 사전검사 - 우울·알코올·수면장애 등	■ 정신건강 진단 결과안내 및 1:1개인상담	■ 유형별 그룹화 ⇒ 맞춤형 프로그램 ■ 관리 및 치료 필요군 등 심층상담	■ 사후 검사 ■ 개선모델 도출

출처: 김인아·김석현, 2017: 113.

다. 마음건강 상담・건강・진료비 지원

정신건강의학과 또는 전문상담소에서 상담 및 치료를 실시한 소방공무원이 지불한 병원비 및 약제비를 전액 지원해 주는 제도이다. 아직 홍보가 많이 부족하고 번거로움이 많아 문제가 제기되어 현재는 보건안전관리 시스템을 소방청에서 구축하여 청구와 정산등을 간소화하는 노력이 이루어지고 있으며, 국립소방병원이 완공되어 개원하는 2025년에는 소방병원의 비대면 진료등을 활성화하여 일원화 할 계획에 있다.

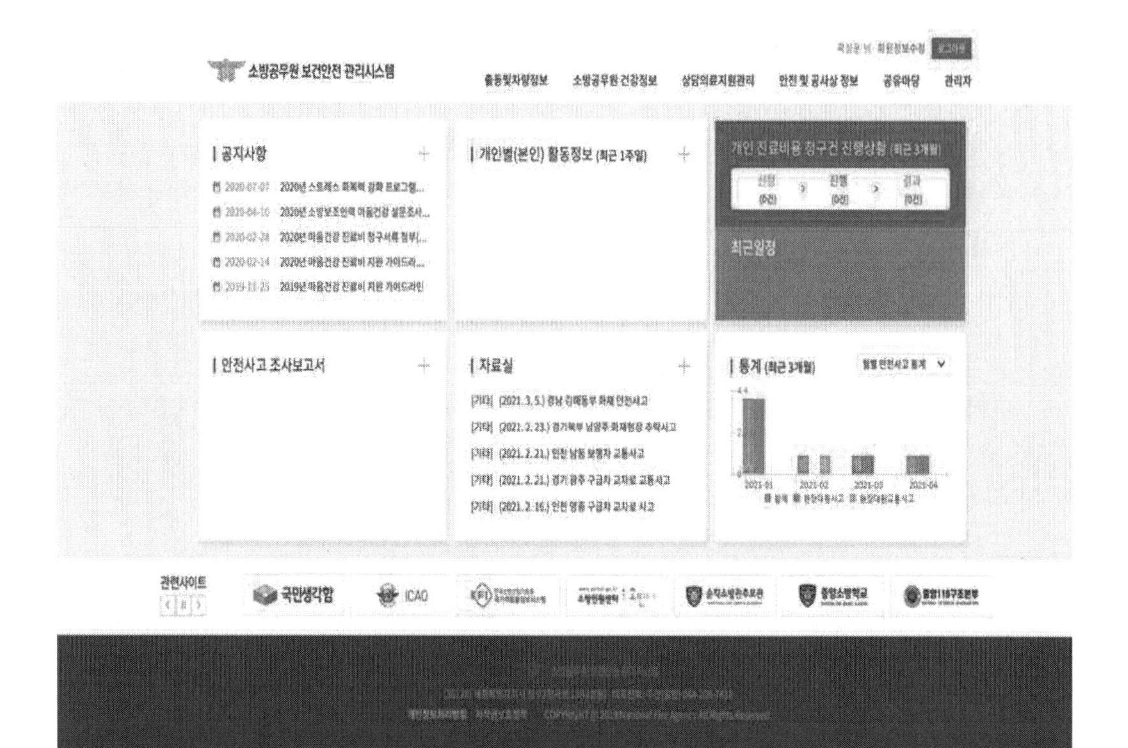

<그림2> 소방청 보건안전관리 시스템

라. 스트레스 회복력 강화 프로그램

심신 회복이 필요한 소방공무원을 대상으로 숲 치유, 승마체험, 힐링프로그램 참여, 심신수련원등을 통해 스트레스 해소와 관리가 가능하도록 하는 심신안정프로그램이다.

마. 기타 제도들

현장지휘관들을 대상으로 CISD(Critical Incident Stress Debriefing)리더 양성과정을 소방학교에 개설하여 교육시켜, 현장 출동후 디브리퍼의 역할을 수행하도록 하는 과정이었다. 현재는 동료집단지지 프로그램 양성 과정을 개설하여소방관 동료에 의한 상담인력을 양성하고 있다.

또한 각 소방서에 심신안정실을 설치하여 소방공무원의 휴식장소를 구비하여 PTSD예방 및 치유 환경을 조성하고자 하고 있다. 대전소방본부의 심신안정실 설치 사례의 모습은 다음과 같다.

<그림3-3> 대전소방본부 심신안정실 설치 사례

4장

회복탄력성과 소방심리

1. 회복탄력성의 개요

가. 회복탄력성의 개념

회복탄력성의 개념과 관련하여 미국의 심리학자인 Werner(1982) 교수가 'resilience'라는 용어를 처음 사용하였다. 그녀는 종단연구를 통해 역경과 어려운 상황을 겪는 사람이 시련을 뛰어넘어 뛰어난 사회적응력을 보인 것을 발견하였다. 이러한 사람들의 속성을 일컬어 회복탄력성이라고 불렀다. Reivich & Shatté(2002)는 역경 극복, 긍정적인 방향으로 이동, 좌절과 실패에서 원상태로 되돌아오기, 새로운 지식과 경험 추구, 삶 속에서 새로운 의미를 찾는 것이라 하였다. 김주환(2011)은 역경을 견뎌 내는 힘이라고 하면서 변화하는 환경에 적응하면서 스스로 본인에게 이로운 방향으로 이용하는 인간의 전반적인 능력이라 하였다.

심리적 회복탄력성과 관련하여 트라우마를 이겨내는 특정한 요인으로서의 회복탄력성은 자신의 내·외적 자원을 활용해 다양한 스트레스나 위기 등 부정적인 상황을 극복해내는, 상황에 알맞고 유연하게 적응하는 개인의 능력으로 알려져 왔다.(임그린·탁진국, 2019) 회복탄력성을 개인이 스트레스에서 회복하는 능력, 스트레스가 극심한 상황에서 적응하는 능력, 심각한 역경에 굴복하지 않는 능력, 스트레스를 받거나 역경에 직면하더라도 평균 이상으로 기능을 수행하는 능력이라고 정의하기도 한다. (Tusaie & Dyer, 2004)

이러한 회복탄력성은 선천적으로 타고나는 특성이 아니라 꾸준한 연습과 학습을 통해 증진될 수 있으며, 회복탄력성이 낮은 조직구성원은 스트레스와 부정적 정서를 견디지 못하고 힘들어 하지만, 회복탄력성이 높은 조직구성원은 스트레스에 보다 효과적으로 대처하고 적응하여 업무 효율성을 높이고 직무의 전문성을 쌓아 나갈 수 있게 된다. (박해경, 2018)

나. 소방공무원과 회복탄력성

회복탄력성은 역경이나 스트레스를 이겨내고 회복하는 힘으로 급박한 위험상황을 자주 접하게 되는 소방공무원에게 필수적인 요인이라고 할 수 있다.

즉 스트레스가 산재해 있는 소방관의 일상에서 스트레스의 부정적 영향으로부터 보호하는 것은 매우 중요하다고 할 수 있으며, 이와 관련하여 Walsh(1988)는 회복탄력성(resilience)의 역할을 강조하면서 지속적인 스트레스로부터 참아내고 대응할 수 있도록 하는 것을 회복탄력성으로 보았고, 위기와 역경으로부터 회복하는 능력, 극복 후 더 탄력적인 삶을 살아가는 능력을 회복탄력성으로 보았다.

또한 소방공무원들을 대상으로 하는 일부 선행 연구들에서도 회복탄력성의 중요성이 언급되고 있으며, 이러한 연구들은 동일한 스트레스에도 개인에 따라 반응에 차이를 보이며, 이런 차이를 만드는 한 원인으로 회복 탄력성 변인에 주목하고 있다. (송

용선, 2017).

회복탄력성은 소방공무원들의 직무스트레스나 외상후 스트레스 증후군(PTSD), 우울, 이직의도 등에 영향을 미치는 중요한 요인 중 하나라 할 수 있으므로 소방공무원들의 회복탄력성제고를 위한 지원이 필수적이라 할 수 있다.

<표 4-1> 소방공무원 회복탄력성의 영향에 관한 선행연구

<table>
<tr><th></th><th>연구자</th><th>내용</th></tr>
<tr><td rowspan="6">스트레스에의 영향</td><td>Bonanno (2005)</td><td>회복탄력성은 개인차가 있으며, 회복탄력성이 높은 사람이 낮은 사람 보다 주요 사건과 관련하여 트라우마 증상을 덜 보이는 것으로 확인</td></tr>
<tr><td>Ong et al. (2006)</td><td>재난뿐만 아니라 일상의 스트레스에서도 회복탄력성이 높은 사람이 스트레스의 회복력이 빠른 것으로 확인</td></tr>
<tr><td>Waugh et al. (2008)</td><td>fMRI를 통해 회복탄력성이 높은 사람이 위협 반응으로부터 빠르게 회복함을 확인하고 이들이 감정적 유연성이 높음을 확인</td></tr>
<tr><td>Tugade et al .(2004)</td><td>회복탄력성이 높은 사람 이 스트레스 상황에서 부정적 정서로부터의 빠른 회복뿐만이 아니라 긍정적 정서 또한 경험하는 것으로 확인</td></tr>
<tr><td>최희철 (2013)</td><td>소방관의 직무 스트레스가 우울에 유의한 영향을 미치며, 직무스트레스와 우울 간에 회복탄력성의 조절 효과가 유의하게 나타나는 것으로 확인</td></tr>
<tr><td>이주연 등 (2016)</td><td>남성 소방관의 회복탄력성 및 성격이 지각된 스트레스에 미치는 영향을 연구하였는데 그 결과, 친화</td></tr>
</table>

		적인 성격특성과 높은 회복탄력성은 스트레스 지각을 감소시킬 수 있는 보호요인으로 확인
PTSD에의 영향	서재원 등 (2004)	소방관의 회복탄력성과 외상후 스트레스 증상(PTSD) 간에 유의한 관련성이 있는 것으로 확인
	Lee et al. (2014)	외상적 사건과 PTSD의 발달 간에 상관이 있으며, 회복 탄력성이 두 요인 사이를 매개하는 것으로 확인
	이소연 (2016)	소방관의 PTSD는 삶의 질에 유의한 영향을 미치며, 삶의 질과 회복 탄력성은 정적 상관이 있는 것으로 확인

*출처 : 중앙소방학교, 『소방공무원 회복탄력성 연구개발을 위한 기초조사 연구』 p.32

2. 회복탄력성 관련 해외사례 검토

해외의 군인, 경찰관, 소방관을 위한 회복탄력성 향상 프로그램을 간단히 소개하면 다음과 같다.

가. 해외 소방관을 위한 회복탄력성 훈련 프로그램

1) 커플 회복탄력성 훈련(Couple resilience and life wellbeing)

커플 회복탄력성은 커플(engaged relationship)이 상대방을 도와주거나 스트레스 상황에 잘 대처할 수 있도록 조력하는 행위와 관련된 절차이다. 커플 회복탄력성은 2개의 차원으로 이뤄져 있으며 하나는 긍정적 태도이며 다른 하나는 부정적 태도이다. 긍정적 태도는 상대방에게 편안함을 주는 행위, 함께 웃는 행위, 상대방의 요구에 응하는 행동 등이 있으며, 부정적 태도로는 상대방에 대한 비판, 어려운 상황에 대한 의논 회피 등이 있다. 훈련 프로그램 결과 소방관들은 일반인에 비하여 커플 회복탄력성의 긍정적 태도가 유의미하게 낮았고, 부정적 태도 역시 유의미하게 낮았다. 또한 긍정적 그리고 부정적 커플 회복탄력성 태도는 트라우마적 사건 노출과 정적 관계에 있었다. 커플 회복탄력성은 관계 만족이 통제된 상태에서도 유의미하게 종속 변수에 영향을 미쳤다. 이는 직접 효과가 있음을 의미하며, 프로그램의 효과를 측정하기 위해 웰빙과 직무 만족이라는 두 개의 변수를 각각 구분하여 모형을 만들었다. 웰빙에 있어서는 관계 만족은 부분 매개 변수가 되었으며, 커플 회복탄력성의 두 차원 모두 웰빙에 대하여 직접 효과가 존재했고, 직무 만족 모델의 경우 매개 효과가 유의미하지 않았으며, 부정적 커플 회복탄력성 태도만 직무 만족에 유의미한 영향을 미쳤다.

2) RAW 회복탄력성 프로그램

RAW 회복탄력성 프로그램은 인터넷 기반을 기반으로 하고 있다. 인터넷 디바이스를 바탕으로 하는 회복탄력성 훈련은 기존 비용을 줄이고 참여 부담을 감소시킬 수 있다. RAW 회복탄력성 프로그램은 6개의 세션으로 구성되어 있고 각 세션은 20~25분 정도로 구성되어 있다. 세션이 끝난 후에는 3일 간 시간이 주어지며 이후에 다음 세션을 받을 수 있으며, 세션의 내용으로는 마음챙김 훈련, 심리 교육, 순응과 헌신 요법과 인지 행동 치료를 기반으로 한 기술과 전략이 있다. 이렇게 총 6주간 진행된다. 프로그램 시행 결과를 통해 RAW 프로그램이 소방관을 비롯한 높은 위험의 직무에 종사하는 근로자에게 도움을 주는 것으로 나타났다. 프로그램 결과를 통해서 인터넷을 기반으로 한 RAW 회복탄력성 훈련이 기존 회복탄력성 훈련들과 일맥상통하게 개인에게 영향을 줄 수 있음이 확인되었으며, 또한 회복탄쳑성 척도인 CDRISC를 통해서는 유의미한 변화가 보였다.

3) 긍정심리학 회복탄력성 훈련

Martin Seligman(1998)에 따르면 긍정심리학은 인간의 힘에 대한 새로운 학문이며, 인생에 무엇이 의미가 있으며, 인생이 왜

의미가 있는지에 대하여 탐구하는 학문이다. 전통적인 심리 치료는 부정적인 경험 또는 환경을 대체하는 것에 초점을 두었으나, 긍정심리학은 이런 경험을 대체하는 것이 아니라 이런 경험을 보완하여 심리 문제를 해결하려고 한다. 긍정심리학은 크게 3개의 주제를 다루는 학문으로 긍정심리학은 기쁨과 만족이라는 긍정적인 감정을 다루는 학문이며, 또한 긍정형 인성(Positive Personality)를 다루는 학문이다. 긍정형 인성은 개인이 가지고 있는 관심(Interests), 덕목(Virtue), 힘(Strength)으로 구성되고, 마지막으로 긍정 기관(Positive Institution)으로 이런 기관은 가족, 회사, 등의 공식 또는 비공식적 기관들을 포함한다. 긍정심리학을 대표하는 이론들로는 Ryff의 행복 모델(Eudaimonic Model), Ryan&Deci의 자기 결정론(Self-Determination Theory)가 있다. 긍정심리학에서 긍정은 단순히 부정의 반대급부가 아니라, 부정적 경험을 어떻게 다루는지가 긍정심리학의 핵심 주제 중 하나이다. 긍정심리학 회복탄력성 훈련은 개인 단계의 훈련과 관계 단계 훈련으로 구분된다. 개인 단계 훈련은 세부적으로 ABC 찾기 훈련, 생각 함정 훈련 등이 있으며, 관계단계 훈련은 호응 훈련과 동료 지원 훈련이 등이 있다.

이 프로그램을 통해 회복탄력성 훈련이 소방관들의 트라우마 극복뿐 아니라 예방에도 효과적으로 적용될 수 있음을 확인할 수 있었다. 또한 학교 및 군에서 활용한 회복탄력성 훈련을 확인할 수 있었다.

나. 미군을 위한 회복탄력성 훈련 프로그램

1) FOCUS 회복탄력성 훈련

FOCUS(Family OverComing Under Stress) 회복탄력성 훈련은 UCLA와 하버드 대학교에서 개발된 가족 기반의 회복탄력성 강화 프로그램이다. 이 훈련은 2008년부터 미군에 적용되었으며 해군, 해병대, 육군, 공군에 실시되었다. UCLA와 하버드 의대에 의해 개발되었으며 트라우마 처리, 예방 과학, 정신병리학적 측면을 포함하고 있다. 이 프로그램은 대규모로 진행되었으며 2008년부터 5000명 이상의 군 가족이 참여했으며 이를 포함한 총 훈련 관련자는 200,000명 이상이었다. FOCUS 프로그램은 가족을 대상으로 한 기술 기반의 예방 프로그램으로서 처음으로 가족을 단위로 구성되었다(Saltzman 외, 2007; 2009). 2002년 UCLA-하버드 미팅에서 훈련 개발팀이 형성되었으며, 훈련 모델의 개념화가 시작되었다. 이 프로그램은 전쟁 배치 가족을 지원하기 위해 설계되었으며 무선 종단 연구가 수행되었다. 시범 훈련 결과는 자녀의 긍정적 결과와 학교 적응, 양육 부담 등을 보여주었다. 이후 4년 동안 플로리다 허리케인 피해 가정들을 대상으로 시행되었으며, 2006년에는 미 해병대와 해군을 대상으로 FOCUS 프로그램이 확대되었다. 2008년에는 대규모로 실시되었다(Lester 외, 2010, 2011).

이 프로그램은 6개에서 8개의 세션으로 구성되어 있으며, 처음 두 세션은 부모를 위한 것이고, 그 후 두 세션은 자녀를 위한 것이다. 다섯 번째 세션은 가족 세션을 준비하기 위한 부모의 세션이고, 여섯 번째 세션부터는 가족이 함께하는 세션이다. 이 프로그램은 매우 유연하며 필요에 따라 세션 수를 조절할 수 있다. 이는 가족 구성원의 수와 관련이 있다. 특히 학교에 입학하지 않은 아동이 있는 가정을 위해 특별 세션도 마련되어 있다.

연구 결과, 군 가족 부모들은 일반 부모들에 비해 정신적 문제가 유의미하게 높음을 확인했다(PTSD, 우울, 긴장). 또한, 군 가족 자녀도 일반 자녀에 비해 감정과 행동 문제가 유의미하게 높았다. 사전 및 사후 측정 결과, 부모는 다방면에서 유의미한 발전을 이루었다. 긴장은 20%에서 7%로, 우울은 25%에서 8%로, 건강하지 않은 가족 관념은 50%에서 30%로 개선되었다. 자녀의 경우, 문제 야기는 50%에서 28%로, 감정적 징후는 40%에서 22%로, 총체적 어려움은 44%에서 21%로 유의미하게 감소했다. 이 연구는 의사소통, 효과적인 대응과 참여, 명확한 역할, 문제 해결 등이 가족의 회복탄력성을 강화하는 주요 요인임을 확인했다. 이는 가족의 회복탄력성이 가족 단위 기반의 접근을 통해 변화할 수 있다는 이 연구의 가설을 뒷받침한다.

2) 마스터 회복탄력성 훈련

2009년부터 시행된 마스터 회복탄력성 훈련(MRT)은 10일간의 교육으로 진행되며, 부사관을 대상으로 한다. 이 훈련은 병사들에게 회복탄력성을 가르치기 위해 부사관이 교육되므로, MRT에는 부사관의 회복탄력성 교육 뿐만 아니라 회복탄력성을 가르치는 기술도 포함되어 있다. 마스터 회복탄력성 훈련은 준비 코스(Preparation), 지속 코스(Sustainment), 강화 코스(Enhancement)로 구성된다. 준비 코스는 펜실베니아 긍정 심리학 센터에서 개발되었으며, MRT 10일 중 첫 8일을 다룬다. 이 코스는 Penn Resilience Program(PRP)과 긍정심리학을 기반으로 한다(Seligman 외, 2009; Seligman 외, 2006; Seligman 외, 2005).

지속 코스는 Walter Reed Army Institute of Research에서 개발되었으며 배치 순환 훈련에 중점을 둔다. 강화 코스는 미국의 Military Academy at West Point 스포츠 심리학자들이 개발했으며 임무 수행을 최적화하는 훈련이 주된 내용이다. MRT 코스의 첫 8일은 PRP 기술을 연습하는 연습 코스이다. 부사관들은 대규모 그룹에서 회복탄력성의 주요 요소에 대해 교육을 받은 후 소규모 그룹으로 나누어 토론을 진행하고 기술을 연습했다. 참가자들은 역할극을 통해 수업 중 중요한 질문을 만들고 다른 참가자들로부터 답변을 받는 등의 활동을 진행했다. 역할극을 통해 질문 전달 방식, 실수, 내용 이해도 등을 확인할 수 있었다. 준비 코스는 4개의 모듈과 마무리 모듈로 구성되어 있다. 현재 MRT

코스는 미국 군의 지원을 받아 펜실베니아 대학교에서 진행되고 있으며, 빅토리 대학에서도 진행되고 있다. MRT 훈련은 이전에는 볼 수 없었던 대규모 심리학 처치로 수 천 명의 부사관과 100만 명의 병사가 참가했다. 이는 미군의 문화적 전환에 중요한 영향을 미치고 있다.

다. 해외 경찰을 위한 회복탄력성 훈련 프로그램

1) SWAT 회복탄력성 프로그램

핀란드 경찰 대학에서 개발된 SWAT 회복탄력성 프로그램은 심리학자와 SWAT 전문가들의 인증을 받은 후, 5일 동안 전략적 훈련 프로그램을 거쳤다. 이 프로그램은 회복탄력성 수업과 SWAT에서 발생할 수 있는 위험한 상황의 시나리오 연습으로 구성되어 있다(예: 기차 인질극). 5일 동안 매일 60분씩의 세션을 진행했으며, 각 세션은 다음과 같은 단계로 진행되었다:

가) 10분간의 개요 설명
나) 이전 세션에 관한 질문
다) McCraty가 강조한 심리사회학적 기술 훈련
라) 아이패드를 활용한 위급 상황 시나리오에서의 호흡법

시나리오는 Arntez와 동료들이 개발했으며, 경찰들이 접할 수 있는 사건들을 대표한다. 경찰관들은 해당 응급 상황에 있을 것으로 상상하고, 그에 따른 행동을 고려했다. 시나리오는 핀란드어

로 번역하기 위해 핀란드 배우들이 참여했다.

이 프로그램은 특수임무 경찰관들을 위한 처음으로 진행된 스트레스 대응 및 회복탄력성 교육이었으며, 이를 통해 경찰관들은 스트레스 감소와 직무능력 향상을 경험했다. 참가자들은 이 프로그램을 다른 특수임무 경찰관들에게 추천했다. 또한, 참가자들의 심리사회 스트레스 반응은 훈련 진행에 따라 유의미하게 감소했다. 이는 심장박동수로 측정된 심혈관 상승 및 아이패드를 통한 자율신경계 조절 능력의 향상으로 확인되었다. 특히 호흡법에 대한 향상이 두드러졌으며, 참가자들은 자율신경계의 조절을 효과적으로 이해하고 교감신경계와 부교감신경계 간의 균형을 유지할 수 있었다.

그러나 특수임무 경찰관들은 스트레스 상황에서 자율신경계 조절의 향상에 대한 훈련을 받지 않았다. 이 교육은 급격한 증가보다는 점진적인 긴장 증가를 통해 상황에 대한 적응과 긍정적인 정신을 강조했다. 이러한 점진적인 긴장 증가는 특수부대 경찰관들에게 중요한 능력으로, 상황에 대한 논리적인 결정을 내릴 수 있는 기회를 제공한다. 결과적으로 특수부대 경찰관들은 심각한 스트레스 상황에서도 이러한 능력을 향상시켰다.

2) 개인 스트레스 회복 탄력성 훈련(Stress Resilience Training System)

학계에서는 경찰 업무가 군대와 유사하게 높은 회복력을 필요로 한다는 점이 점차 알려져 있다. 경찰 업무는 사망 사고나 부상과 밀접하게 관련되어 있으므로, 높은 회복력은 경찰을 이러한 위험으로부터 보호하는 데 중요한 역할을 한다는 것이 입증되고 있다. 미국 샌디에이고 경찰에서 실시하는 대표적인 훈련인 개인 스트레스 회복 탄력성 훈련(Stress Resilience Training System, SRTS)은 이러한 맥락에서 중요한 역할을 한다고 볼 수 있다. SRTS의 목표는 경찰과 시민들이 스스로 휴대할 수 있는 회복탄력성 프로그램 시스템을 개발하는 것이다. 이를 통해 역경으로 인한 스트레스를 감소시키고, 자아 통제력과 회복탄력성을 향상시켜 개인의 건강과 능률을 높일 것으로 기대된다. SRTS는 회복탄력성에 대한 교육과 HeartMath 자기 통제 기술의 훈련을 중점으로 제공되고 있다.

SRTS는 기존의 회복탄력성 훈련과 많은 점에서 차별화되고 있다. 먼저, 아이패드를 기반으로 하여 휴대가 가능하며, 개인의 바이오피드백을 받을 수 있다. 둘째, 스트레스로 인한 효과들을 최소화하고 직무 효율성을 높이기 위해 설계되었다. 셋째, 아이패드 프로그램 안에 회복탄력성 훈련과 예제가 탑재되어 있어 꾸준한 훈련이 가능하다. 마지막으로 훈련 방법에 대한 매뉴얼이 준비되어 있어 사용자가 효과적으로 해당 프로그램을 활용할 수 있다.

훈련 결과, 경찰 개인 회복탄력성 훈련 프로그램은 참여자들을 유의미하게 변화시켰다. Emotional Vitality는 25% 향상되었으며 (p=.05), Physical Stress는 24% 향상되었다(p=.01). 또한 참가자들은 이 프로그램에 대한 만족도가 매우 높았으며, 직무 능력 향상과 가족 관계에서의 긍정적인 변화를 경험했다. 또한 이들은 SRTS 프로그램이 실생활에서 유용한 기술을 제공한다고 평가했으며, 전문가와의 상담도 긍정적으로 평가되었다. 경찰관들은 SRTS가 정기적인 경찰 훈련에 도입되어야 한다고 생각하며, 회복탄력성이 자기 통제 능력을 향상시킬 수 있다고 믿는다.

경찰 업무는 감정 소모가 많고 역경을 많이 겪는데, 이는 자기 통제 능력과 에너지를 많이 소모한다는 것을 감안할 때, 회복탄력성 훈련이 중요하다고 볼 수 있다.

3. 회복탄력성 향상 프로그램

가. 회복탄력성의 하위요인과 프로그램

소방공무원을 위한 회복탄력성 향상 프로그램 구성을 위해 선행연구들의 회복탄력성의 하위요인 및 하위요인에 따른 프로그램 내용을 정리하면 다음과 같다.

<표4-2> 회복탄력성 하위요인

학자	하위요인
Wagnild & Young(1993)	인내심, 자기신뢰, 의지력, 독립심, 평정심
Russell & Russell(1995)	자기신뢰, 개인적 비전, 계획성, 융통성, 문제해결력, 사회성, 대인관계, 조직력
Klohnen(1996)	자신감, 대인관계효율성, 낙관적 태도, 정서조절
김혜성(1997)	**심리적 속성**- 상황의 실체인정, 부정적 정서 부인, 삶에 대한 의욕, 책임감, 자신감, 용기, 희망, 긍정적 의미추구, 목표설정 추구, 자부심, 수용성, 자발성, 계획성, 적극성, 의지력, 융통성, 창의성 **사회적 속성**- 소속감, 사회 지지에 대한 지각, 능동적 사회적 관계
Constantine et., al(1999)	자기신념, 자아인식, 자기효능감, 낙관성, 목표지향성, 공감능력, 문제해결력, 협동과 대화기술
Grotberg, et., al(2001)	외적 지지, 내적 힘, 대인관계기술, 문제해결기술
Reivich & Shatte(2003)	정서(감정) 조절력, 충동통제력, 낙관성, 원인분석력, 공감능력, 자기효능감, 적극적 도전
Friborg, et., al(2005)	자아개념, 미래에 대한 지각, 조직화, 사회 능력, 가족 결속력, 사회적 자원

이해리 & 조한익(2005)	**개인내적 요인-** 인지적 차원, 정서적 차원, 의지적 차원, 영적 차원 **외적보호 요인-** 학교차원, 가정차원, 지역사회차원, 또래차원
Hanson & Kim(2007)	**개인적 자산-** 협력, 의사소통, 공감능력, 문제해결력, 자기효능감, 자기 인식, 목적과 포부 **환경 자산-** 가정, 학교, 지역사회, 또래와 관련
Morrison & Allen(2007)	자율성, 목적의식, 사회적 능력, 문제해결, 성취동기
Hansson et al(2008)	결속감, 숙달, 자기방향성, 자기가치, 유머, 낙천주의
Ryan & Caltabiano(2009)	자기효능감, 내적 통제력, 인내심, 가족.사회 지원망, 적응력
박순희, 이주희(2009)	자아정체성, 의사소통기술, 문화수용성, 가족지지, 또래지지, 교사지지
신우열, 최민아, 김주환(2009)	원인분석력, 감정조절력, 충동통제력, 감사하기, 생활만족도, 낙관성, 관계성, 커뮤니케이션 능력, 공감능력
이지원, 유형근, 신효선(2009)	활력성, 대인관계, 감정통제, 호기심, 낙관성
박은혜, 전샛별(2010)	**개인적 요인**- 긍정적 성격, 자아개념 **가족적 요인**- 부모와 가족에 받는 지원 **전문적 요인**- 비판적 사고, 통찰력, 계획성, 목표의식, 교육적 성취 **사회환경적 요인**- 상사 및 동료교사와 유대감, 신뢰감, 학부모 지지
김주환(2011)	**자기조절능력-** 감정조절력, 충동통제력, 원인분석력 **대인관계능력-** 소통능력, 공감능력, 자아 확장력 **긍정성-** 자아 낙관성, 생활만족도, 감사하기
권수현(2011)	정서조절력, 충동통제력, 낙관성, 원인분석력, 공감능력, 자기효능감, 적극적 도전성
이연실(2013)	**정서적-** 자기 신뢰, 자기 가치, 안정성 **사회·환경적-** 대인관계, 자신감, 긍정적 관계, 상호작용 **유능적-** 유능성, 활력성, 생산적 활동 **미래지향적-** 성취지향성, 도전성

권수현, 이승연 (2014)	**내적요인-** 심리적, 행동적, 인지적, 사회적능력요인 **외적보호요인-** 개인적 환경, 관계적 환경, 조직적 환경 요인
Mansfield 외 동료들(2016)	개인적 요인(동기화, 사회-정서적 역량), 대응전략, 문제해결력, 목표 설정, 일-삶 간 균형감

*출처 : 서은주(2017, p11), 박희숙(2019, p94) 재인용.

<표4-3> 회복탄력성 향상 프로그램 하위요인에 따른 프로그램 내용

프로그램 개발자	회기 및 대상	구성요소	주요활동내용
이아라 (2013)	11회기, 초등학생	자기효능감	● 가능성 나무 만들기 ● 성공경험 찾기
		적극적 도전성	● 나를 광고하기 ● 문제해결 과정 연습하기
		낙관성	● 성공한 인물들과 가상 인터뷰하기 ● 부정적인 사고 바꾸기
		감정조절력	● 멈춰 서서 생각하기 ● 내 마음속의 신호등
		원인분석력	● 문제 상황 원인파악 연습하기
		공감능력	● 감정사전 만들기 ● 감정 골든벨
		충동통제력	● 유혹을 이겨내는 방법 알아보기 ● 실천 기록표 만들기
이정원 (2014)	10회기, 유아기어머니	안전감	● 자유로운 심상표현 ● 내가 좋아하는 것
		자기조절	● 자기강점 발견과 강화 ● 행복했던 세 가지 사건
		대인관계	● 타인의 감정파악과 이해 ● 가족에게 주고 싶은 선물

<table>
<tr><td></td><td></td><td colspan="2">긍정성</td><td>● 5년 뒤 나의 모습
● 긍정적인 나의 미래 만들기</td></tr>
<tr><td rowspan="3">이은주
(2015)</td><td rowspan="3">10회기, 독거노인</td><td>자기
조절
능력</td><td>감정조절력
충동조절
원인분석</td><td>● 나에게 힘이 되는 것
● 현재 감정 탐색과 표현하기</td></tr>
<tr><td>대인
관계
능력</td><td>소통능력
공감능력
자아확장력</td><td>● 내가 차린 밥상
● 내가 주고 싶은 선물</td></tr>
<tr><td>긍정성</td><td>자아낙관성
생활만족도
감사하기</td><td>● 자랑스러운 나
● 소망나무 만들기</td></tr>
<tr><td rowspan="3">안성민
(2016)</td><td rowspan="3">8회기, 대학생</td><td colspan="2">자기조절능력</td><td>● 감정표현
● 역경과 대처 경험 나누기</td></tr>
<tr><td colspan="2">대인관계능력</td><td>● 소통과 공감 훈련</td></tr>
<tr><td colspan="2">긍정성</td><td>● 나 칭찬하기
● 나에게 편지쓰기</td></tr>
<tr><td rowspan="3">유소희
(2016)</td><td rowspan="3">8회기, 직장인</td><td colspan="2">긍정성</td><td>● 긍정적 자기 암시 “아침카드‘
● 비전 선언서 작성하기</td></tr>
<tr><td colspan="2">자율성</td><td>● 경험 나누기
● 행복일기 쓰기</td></tr>
<tr><td colspan="2">대인관계능력</td><td>● 의사소통 반응 파악하기
● 자기개방과 감정표현 훈련하기</td></tr>
<tr><td rowspan="3">이지영
(2016)</td><td rowspan="3">10회기, 알코올중독자</td><td>자기
조절
능력</td><td>감정조절력
충동조절
원인분석</td><td>● 부정적인 감정 표현
● 신문지 찢기
● 부정적 감정상황을 긍정적 감정상황으로 바꾸기</td></tr>
<tr><td>대인
관계
능력</td><td>소통능력
공감능력
자아확장력</td><td>● 마인드 맵 그리기
● 들려주고 싶은 이야기
● 나의 행성 그리기</td></tr>
<tr><td>긍정성</td><td>낙관성
생활만족도
감사하기</td><td>● 강점 찾기
● 계절마다 즐거웠던 추억
● 나의 모습, 나의 꿈</td></tr>
</table>

*출처 : 서은주(2017, p49)

나. 소방공무원을 위한 회복탄력성 프로그램 구성

델파이 기법은 1948년 RAND 연구소에서 개발한 다양한 전문가의 의견에 따른 예측 방법론으로 국가방위 기술수요예측, 사회기술 발전추세예측 등 긴급한 국방 및 사회문제에 관한 집단의견 수집방법으로 연구개발한 데서 비롯되었다. 면밀하게 계획된 익명의 반복적 질문지 조사를 실시함으로써, 조사 참가자들이 직접 한데 모여서 논쟁을 하지 않고서도 집단성원의 합의를 유도해 낼 수 있는 일종의 집단협의 방식에 대한 대안적 조사방법이라 할 수 있는데, 관리자(의견조정자)가 주관이 돼 전문가 5~20명의 의견을 2~3회 청취하고 피드백을 받아 최종 라운드 예측의 평균값 또는 중앙값으로 결과를 예측하는 방법이다. 델파이는 "추정문제에 대한 확실한 정보가 없을 시에 '두사람의 견해가 한 사람의 견해보다 정확하다.'는 계량적측면의 객관적 원리와 '다수 사람들에 의한 판단이 소수 사람들의 판단보다 정확하다'리는 민주적인 의사결정 원리에 근거를 두고 있다고 할 수 있다. " 델파이 방법은 토론하는 집단들이 복잡하고 다양한 문제들을 효율적으로 다룰 수 있도록 토론패널 사이에 의사소통 과정을 구조화하게 된다.(Gordon, 1994)

계층분석(AHP)방법은 1970년대에 Thomas Saaty 교수에 의해 개발되었는데, AHP 기법의 의사결정 방법은 운영체계 계층화부터 시작한다. 의사 결정문제 계층화 과정의 1단계에서는 의사결정 문제를 상호 관련된 의사결정 요소로 계층화하여 문제를 분리하고, 평가 기준 쌍대비교를 하는 2단계 과정에서는 어떤 계층에 있는 한 기준의 관점에서 직계 하위 계층에 있는 요소들의 상대적 중요도를 평가하기 위해 평가대상 기준 간 쌍대비교를 행하고, 그 결과를 행렬로 나타내고, 3단계에서는 각각 다른 대안의 종합 우선순위 및 가중치를 결정한다. 상대적 중요도 및 상대적 선호도를 종합하여 우선순위를 평가하고 최적의 대안을 결정한다. 또한, 평가대상이 되는 대안들의 중요도를 기반으로 대안의 우선순위를 결정하게 된다(안진성, 2011, 이강문 2020).

본 연구의 패널 구성은 소방공무원 중 동료심리상담사 경력 및 소방서 심리상담요원으로 활동한 경험이 있는 전문가 5명, 소방서 및 소방본부 보건안전담당자로 실무경력이 있는 전문가 5명, 심리상담전문가 5명, 관련 전공 대학교수 5명으로 구성하여 분야별 대표성과 전문성을 고려하였다.

패널을 대상으로 2차례 델파이 설문과 1차례의 AHP 조사를 실시하였다. 먼저 1차 설문지는 연구 참여 전문가 패널들의 편견이 없는 풍부한 의견을 도출하기 위해 긍정성영역, 대인관계영역, 자기조절능력영역, 기타영역으로 나누어 소방공무원을 위한 프로그램에 각 영역에 포함되어야 하는 하위요인과 향상 활동을 자유롭게 기술할 수 있도록 개방형 설문지 형식으로 구성하였다. 2차 설문지는 제1차 설문지의 내용을 정리하고 빈도수가 2회이상인 하위요인과 향상 활동만을 정리하여, 정리된 설문지를 다시 패널들에게 2차 설문을 통해 중요도 측정을 하였다. 패널들로부터 설문을 받아 내용타당성비율(CVR)을 통해 정책중요도 분석을 실시하였다. CVR비율은 패널 수에 따른 CVR의 최소값으로 결정하였는데, 유의수준 0.05에서 내용적 타당성이 있는 문항들은 패널수의 변화에 따른 최소값 이상 CVR값을 지닌 항목들만 이 해당된다고 판단하게 된다. 이 연구에서는 패널 수가 20명으로 CVR최소값은 0.42이상이 되는 경우에만 중요도 높은 항목으로 판단하였다.

<표4-4> 패널 수에 따른 내용타당도 비율 최소값

패널의 수	10	11	12	13	14	15	20	25
CVR	.62	.59	.56	.54	.51	.49	.42	.37

*출처 : Lawshe, C. H. (1975), "A Quantitative Approach to Content Validity 1". Personnel Psychology. Vol. 28, No. 4, pp. 563-575.

2차 설문분석 결과에 의해 도출된 하위변수와 향상활동을 대상으로 AHP분석을 실시하였는데, 1단계에서는 4개 영역별 쌍대비교를 통한 상대적 중요도, 가중치, 우선순위를 조사하였고, 2단계에서는 영역별로 하위 요인 및 향상 활동간의 쌍대비교를 실시하였으며, 3단계에서는 도출된 영역별 가중치와 2단계 하위요인 및 향상활동별 가중치를 적용하여 최종 중요도와 순위를 도출하였다. 영역별 및 하위요인, 향상활동별 쌍대비교의 경우에 쌍대비교의 신뢰성을 가늠하고 전문가 집단의 정확한 응답정도를 확인하는 CI지수[9] 값은 분석 과정에서는 모두 0.1보다는 작은 수치가 나와 양호하게 쌍대비교가 이루어진 것으로 분석되었다. 분석결과 도출된 하위요인 및 향상활동을 정리하면 다음과 같다.

---

9) 일반적으로 지수 값이 보다 작을 때 AHP 분석결과를 신뢰할 수 있다고 한다.

<표4-5> 델파이 및 AHP분석 결과 하위변수의 중요도 및 순위

영역	하위요인	중요도	순위
긍 정성	강점	0.10701	1
	자기효능감	0.09314	2
	자아낙관성	0.05693	7
	감사	0.05575	8
	행복	0.02703	13
	삶의 만족	0.01864	21
대 인관계	협동과 대화의 기술	0.06451	5
	공감능력	0.04833	10
	타인신뢰	0.03395	11
	격려	0.03174	12
	결속감	0.02155	20
	사회적 지지	0.00998	23
	자아확장력	0.00825	25
자 기조절	감정조절력	0.07341	3
	원인분석력	0.07084	4
	자기수용	0.05873	6
	자신감	0.05184	9
	문제해결력	0.02227	19
	그릿	0.01831	22
기타	활력성	0.02665	14
	안전감	0.02426	15
	숙달	0.02285	16
	유머	0.02243	17
	취미활동	0.02242	18
	규칙적인 운동	0.00920	24

<표4-6> 델파이 및 AHP분석 결과 향상활동 중요도 및 순위

영역	향상 활동	중요도	순위
긍정성	강점찾기 훈련	0.10594	1

	행복했던 세 가지 사건	0.07937	4
	삶에서 긍정적 부분 찾기 훈련	0.05575	9
	비전 선언서 작성하기	0.05213	13
	ABC기법 활용 오류반박하기	0.03538	17
	감사하기	0.01638	22
	긍정적 나의 미래 만들기	0.01355	23
대인관계	소통과 공감훈련	0.06516	5
	감정표현 훈련하기	0.05671	7
	격려하기 훈련	0.03467	18
	마인드 맵 그리기	0.03395	19
	역할극	0.01646	21
	가족이나 동료에게 주고 싶은 선물	0.01135	24
자기조절	자기성찰하기	0.06159	6
	멈춰서서 생각하기	0.05607	8
	역경과 대처 경험 나누기	0.05282	12
	유혹 이겨내기 실천 기록표 만들기	0.05184	14
	문제해결과정 연습하기	0.05181	15
	내 마음속의 신호등	0.02127	20
기타	신체이완기법 훈련	0.10331	2
	자유로운 심상표현	0.08992	3
	스트레스 대처기법 훈련	0.05496	10
	목표설정과 작은 성공	0.05382	11
	나에게 편지쓰기	0.04409	16

델파이 및 AHP분석을 통해 소방공무원에게 적합성 높은 향상활동을 도출한 결과에 대하여 전문가 그룹(소방공무원 중 동료심리상담사 경력 및 소방서 심리상담요원으로 활동한 경험이 있는 전문가 5명, 소방서 및 소방본부 보건안전담당자로 실무경력이 있는 전문가 5명, 심리상담전문가 5명, 관련 전공 대학교수 5명)의 3차에 걸친 자문의견을 받아 소방공무원에게 적합도가 가장 높은 활동을 추출하여 최종 프로그램을 구성하였다.

각 영역별 도출된 향상활동을 설명하면, 긍정성영역에서는 강점찾기 훈련활동과 행복했던 세 가지 사건 찾기활동 및 감사하기활동, 대인관계 영역에서는 소통·공감훈련활동, 마인드 맵 그리기활동, 자기조절 영역에서는 자기성찰하기활동과 역경과 대처경험 나누기활동, 기타영역에서는 신체이완기법 훈련활동을 선정하였으며, 기존의 훈련활동을 소방공무원 직군을 고려하여 표현을 수정하고 간소화하여 프로그램을 도출하였다.

소방학교 입교생들의 교육기간을 고려하여 해당 8가지 영역별 활동들은 8회기로 구성하였으며, 하루 1시간 30분이내의 활동으로 구성하여 훈련에의 집중도를 높일 수 있도록 구성하였다.

도출된 프로그램의 효과성을 검증하기 위해 OO소방학교에 입교한 67명을 대상으로 인구통계학적 특성에서 비교적 동질적인 두 집단으로 나누어 한 집단(Ⅰ집단)은 도출된 프로그램을 훈련시키고 다른 집단(Ⅱ집단)은 기존의 이론중심의 정신건강교육을 훈련시켰다. 입교 직후 회복탄력성, 스트레스 및 PTSD 지수를 측정하였으며, 각 교육프로램 훈련 후에 다시 지수를 재측정하였다. 두 그룹은 인구통계학적 특성상 계급 및 근무기간등에서 비교적 동질적 집단으로 구성되어 있으며, Ⅰ집단은 평균연령이 42.5세, 평균 근무기간은 11년 6월이었으며, Ⅱ집단은 평균연령이 41.8세, 평균 근무기간은 12년 3월이었다.

프로그램의 효과성을 검증하기 위해 다음과 같은 연구가설을 설정하였다.

가설Ⅰ : 『회복탄력성 훈련프로그램』은 회복탄력성 향상, 스트레스 경감 및 PTSD 완화효과가 있다.

가설Ⅰ-1 : 『회복탄력성 훈련프로그램』을 실시한 후 회복탄력성 지수가 유의하게 높아진다.

가설Ⅰ-2 : 『회복탄력성 훈련프로그램』을 실시한 후 스트레스 지수가 유의하게 낮아진다.

가설Ⅰ-3 : 『회복탄력성 훈련프로그램』을 실시한 후 PTSD 지수가 유의하게 낮아진다.

가설Ⅱ : Ⅰ집단은 Ⅱ집단에 비해 회복탄력성 향상, 스트레스 경감 및 PTSD 완화효과가 더 커서, 기존의 이론위주 정신건강교육보다 도출된 프로그램의 효과가 더 클 것이다.

가설Ⅱ-1 : Ⅱ집단에 비해 Ⅰ집단의 회복탄력성 향상 효과가 더 클 것이다.

가설Ⅱ-2 : Ⅱ집단에 비해 Ⅰ집단의 스트레스 경감효과가 더 클 것이다.

가설Ⅱ-3 : Ⅱ집단에 비해 Ⅰ집단의 PTSD 완화효과가 더 클 것이다.

설문지의 구성은 다음과 같다.

스트레스 지수측정을 위하여 고경봉(2000)등이 7개(긴장, 공격성, 신체화, 분노, 우울, 피로, 좌절)하위척도로 구성한 스트레스 반응척도를 사용하였으며, PTSD 측정지수는 한국판 사건충격척도 수정판(The Korean Version of Impact of Event Scale-Revised, IES-R-K)을 활용하여 구성하였다.

회복탄력성 평가는 Connor-Davidson Resilience Scale을 정영은 등(2012)이 수정한 한국판 버전인 K-CD-RISC(Kotrean version of the CD-RISC)을 사용하였는데, 이 지표는 성공적인 스트레스 대처 능력으로서의 회복탄력성을 측정하는 도구로 25문항으로 이루어진 자가보고 형식의 검사이다. 각각의 문항은 5점의 Likert척도로 구성되어 있으며, 각 문항들의 점수를 합산한 총점은 0점에서 100점까지의 범위로 점수가 높을수록 회복탄력성이 높음을 의미한다.

도출된 프로그램의 효과를 비교하기 위해 두 집단의 회복탄력성, 스트레스 및 PTSD의 프로그램 실시 전 동질성 여부를 검사하기 위해 K-CD-RISC, 스트레스 반응척도 및 PTSD 지수에 대하여 두 집단의 독립표본 T검정을 실시하였다. Levene의 등분산 검정결과 등분산이 가정되었으며, 이에 근거하여 검정을 실시한 결과, 프로그램 실시 전 K-CD-RISC는 Ⅰ집단은 평균 53.1775, Ⅱ집단은 51.1695로 두 집단은 유의미한 차이를 보이지 않았다.

스트레스 반응척도의 경우 Ⅰ집단은 평균 72.1932점, Ⅱ집단은 74.6866점이었으며, PTSD 지수는 Ⅰ집단은 평균 17.6504점, Ⅱ집단은 19.0114점이었는데 모두 역시 유의미한 차이를 보이지 않았다. 따라서 프로그램 실시 전 두 집단은 회복탄력성, 스트레스 및 PTSD 지수에 대하여 큰 차이가 없는 비교적 동질적 집단으로 파악될 수 있다.

프로그램 실시 전·후의 K-CD-RISC, 스트레스 반응척도와 PTSD 지수의 차이를 검증하기 위해 각 집단별로 대응표본 t검정을 실시하였는데, 검정결과Ⅰ집단은 K-CD-RISC가 훈련 전에는 평균 53.1775점 이었는데, 훈련 후에는 81.5667점으로 상승하였으며, 스트레스 반응척도의 경우에도 훈련 전에는 평균이 72.1932점 이었는데, 훈련 후에는 38.2135점으로 하락하였으며, PTSD 지수도 훈련 전에는 17.6504점 이었는데 훈련 후에는 7.9584점으로 하락하였다. 훈련 전·후 두 지수 모두 제시된 모든 유의수준하에서 유의미한 차이를 나타내어 도출된 프로그램은 K-CD-RISC향상, 스트레스경감 및 PTSD 완화 효과가 있는 것을 확인할 수 있었다. 따라서 <가설Ⅰ-1>, <가설Ⅰ-2>, <가설Ⅰ-3>는 타당한 가설로 검증되었다.

<표4-7>. Ⅰ집단의 프로그램 전·후 대응표본 t검정 결과

	처리	N	평균	평균의 표준오차	t	유의확률 (p)
K-CD-RISC	훈련 전	34	53.1775	1.9654	-12.359	.000***
	훈련 후	34	81.5667	2.5445		
스트레스 반응척도	훈련 전	34	72.1932	2.1235	11.958	.000***
	훈련 후	34	38.2135	1.3562		
PTSD 지수	훈련 전	34	17.6504	1.0556	11.658	.000***
	훈련 후	34	7.9584	0.6584		

*p<.05, **p<.01, ***p<.001

Ⅱ집단의 경우는 검정결과 K-CD-RISC가 기존 이론위주 교육 전에는 평균 51.1695점 이었는데, 훈련 후에는 55.6589점으로 소폭상승하였으며, 스트레스 반응척도는 기존 이론위주 교육 전에는 평균이 74.6866점이었고 교육 후에는 72.5965로 소폭 감소하긴 했지만, 절단점 50이하로는 감소되지 않았으며, PTSD 지수는 교육 전 19.0114점에서 교육 후 18.8559점으로 소폭이지만 감소하였다. 3가지 지수 모두 유의미한 차이를 나타내지는 못했다. 다만, 일부 지수의 소폭상승과 하락은 이론 교육 후 회복탄력성의 개념,스트레스 대처방법, PTSD질환에 인식과 이해의 정도가 높아지는 효과와 더불어 현장활동에서 벗어나 교육기관에의 입교라는 일시적 환경변화의 효과로 해석할 수 있다. Levene의 등분산 검정결과 모두 등분산이 가정되었다.

<표4-8> Ⅱ집단의 프로그램 전·후 대응표본 t검정 결과

	처리	N	평균	평균의 표준오차	t	유의확률 (p)
K-CD-RISC	훈련 전	33	51.1695	1.9654	-.598	.545***
	훈련 후	33	55.6589	2.0056		
스트레스 반응척도	훈련 전	33	74.6866	2.1235	1.235	.095***
	훈련 후	33	72.5965	1.3562		
PTSD 지수	훈련 전	33	19.0114	1.0556	1.354	.105***
	훈련 후	33	18.8559	0.6584		

*p<.05, **p<.01, ***p<.001

프로그램 훈련 및 이론교육 전에는 두 집단의 지수에 대하여 유의미한 차이가 없었던 비교적 동질적 두 집단에 대하여 각기 다른 훈련 프로그램의 교육 후 지수에 어떠한 차이가 있는지를 검증하였는데, Levene의 등분산 검정결과 스트레스 반응척도는 p-value가 0.05보다 작으므로 등분산을 가정하지 않았고, K-CD-RISC 및 PTSD 지수는 등분산이 가정되었다.

<표4-9> 훈련 후 Ⅰ집단과 Ⅱ집단의 독립표본 t검정 결과

	구분	N	평균	평균의 표준오차	t	유의확률 (p)
K-CD-RISC	Ⅰ집단	34	81.5667	2.5445	11.569	.000***
	Ⅱ집단	33	55.6589	2.0056		
스트레스 반응척도	Ⅰ집단	34	38.2135	1.3562	-10.564	.000***
	Ⅱ집단	33	72.5965	1.3562		
PTSD 지수	Ⅰ집단	34	7.9584	0.6584	-12.596	.000***
	Ⅱ집단	33	18.8559	0.6584		

*p<.05, **p<.01, ***p<.001

훈련 후 K-CD-RISC, 스트레스 반응척도, PTSD 지수 모두에서 두 집단간의 유의미한 차이를 나타내었다.

결국 훈련 전에는 유의미한 차이를 나타내지 않았던 두 집단에 대하여 Ⅰ집단에는 도출된 회복탄력성 훈련프로그램을, Ⅱ집단에는 기존 이론위주의 정시건강교육을 실시한 결과, Ⅰ집단은 K-CD-RISC, 스트레스 및 PTSD 지수 모두 유의미하게 증가 및 감소하여 정상범위내로 변화하였으며, Ⅱ집단은 유의미하게 지수가 변화하지 않았다.

도출된 회복탄력성 훈련프로그램을 훈련한 Ⅰ집단은 지수 모두에 대하여 훈련 전과 달리 유의미한 차이를 나타내어, Ⅱ집단에 비하여 Ⅰ집단의 K-CD-RISC 향상, 스트레스 반응척도 및 PTSD 지수의 감소효과가 더 큰 것으로 분석되어 <가설Ⅱ-1>, <가설Ⅱ-2>, <가설Ⅱ-3>은 검증되었다.

연구결과의 결론은 소방공무원을 위한 도출된 회복탄력성 훈련프로그램을 OO소방학교에 입교한 소방공무원을 대상으로 효과성 분석을 검증한 결과, 훈련 전에는 유의미한 차이를 나타내지 않았던 두 집단에 대하여 Ⅰ집단에는 도출된 회복탄력성 훈련프로그램을, Ⅱ집단에는 기존 이론위주의 교육을 실시한 결과, Ⅰ집단은 K-CD-RISC, 스트레스 및 PTSD 지수 모두 유의미하게 증가하거나 감소하여 정상범위내로 변화하였으며, Ⅱ집단은 K-CD-RISC, 스트레스 반응척도와 PTSD 지수가 소폭 변화하였을 뿐 유의미한 차이를 보여주지 못했다. Ⅰ집단은 지수 모두에 대하여 훈련 전과 달리 유의미한 차이를 나타내어, Ⅱ집단에 비하여 K-CD-RISC 향상, 스트레스 반응척도 및 PTSD 지수의 감소효과가 더 큰 것으로 분석되어 가설이 검증되었다.

참고문헌

강현아(2019). 소방공무원의 외상후 스트레스, 회복탄력성, 사회적 지지가 외상후 성장에 미치는 영향. 한양대학교 석사학위논문, 서울.

고경봉 · 박중규 · 김찬형(2000), 스트레스 반응척도의 개발, 신경정신의학 제39권 제4호, 707-719.

곽민영, 배정이(2017). 소방공무원의 외상 후 성장 관련요인. 정신간호학 회지, 26(2), 124-133.

김사라(2017). 소방공무원의 직무스트레스와 삶의 만족도와의 관계: 가족탄력성과 사회적 지지의 조절효과. 가족과 가족치료, 25(4), 815-837.

김연정, 김진현, 심규식(2017). 소방공무원의 정신건강과 직무스트레스, 감정노동, 회복탄력성간의 융합관계. 한국융합학회논문지, 8(12), 379-389.

김주환, (2011). 회복탄력성. 서울: 위즈덤하우스

김지희(2007), 재난현장에서 구조대원들이 겪는 외상 후 스트레스 증후군에 관한 연구, 한국화재소방학회 추계학술논문발표회, 24-30.

남보라(2008), 한국판 외상 후 스트레스 진단 척도의 신뢰도 및 타당도 연구, 고려대학교 대학원 석사논문, 12-14

박은진, 김경의, 백현숙, 유제춘, 김경숙(2010). 소방공무원들에서 긍정심리적 특성이 외상사건 경험 이후 외상후 스트레스 증상 발생에 미치는 영향. 신경정신의학, 49(6), 645-652

방창훈 & 홍외현(2010), 소방공무원의 직무스트레스에 관한 연구, 한국화재소방학회 논문지, 제24권 제4호, 79-86
박분희외 4인, (2017) , Adler 개인심리학에 근거한 장기 미취업 청년을 위한 회복탄력성 증진 교육 프로그램 개발, The Journal of Vocational Education Research, Vol.36, No.3, 125~147
박해경(2018), 코칭리더십이 회복탄력성, 대인관계능력 및 직무성과에 미치는 영향, 한국콘텐츠학회논문지 18(10), 371
박희숙(2019), 예비유아교사를 위한 관계지향 모델 중심 회복탄력성 증진 프로그램 개발 및 적용, 유아교육연구, 39(4), 87-114
박찬석(2014), 재난관리 단계별 소방업무 중요도분석 및 업무재설계, 한국재난정보학회 논문집, 10(4), 575
박찬석(2015), 재난심리론, 서울 : 토파민출판사
박찬석(2014), 재난대응공무원의 스트레스 및 PTSD 완화 교육프로그램재설계 및 교육효과 실증분석, 대한안전경영과학회지, Vol16, No.4, 147-157
박해경(2018). 코칭리더십이 회복탄력성, 대인관계능력 및 직무성과에 미치는 영향. 한국콘텐츠학회논문지, 18(10), 368-381
소방방재청(2011), 재난심리지원 매뉴얼, 발간등록번호 11-1660000-000666-14.
소방방재청(2014), 「2014년 전국소방공무원 심리평가 전수조사 결과보고서」, 이화여자대학교 산학협력단.
소방청(2020), “The Basic Plan on Health, Safety and Welfare of

Firefighters".
소방청(2020~2023), "The Annual Plan on Health, Safety and Welfare of Firefighters".
송용선(2017). 소방관의 회복탄력성과 PTSD 관계 분석. 한국화재소방학회논문지, 31(3), 119-126.
서은주(2017), 격려스트로크를 활용한 교사의 회복탄력성 집단프로그램 개발, 경상대학교 교육대학원 박사학위논문
서재원, 예병석(2011). 소방대원에서의 회복탄력성과 외상후 스트레스 증상과의 연관성. 국립춘천병원 임상연구 논문집, 17-26.
석혜민(2016). 재난대응공무원의 정신건강관리 문제점과 개선방안에 관한 연구. 서울시립대학교 박사학위논문. 41-45
신우열, 김민규, 김주환(2009). 회복탄력성 검사 지수의 개발 및 타당도 검증. 한국청소년연구, 20(1), 105-130.
안진성(2011), 델파치 기법과 계층적 분석방법(AHP)의 적용을 통한 전통정원의 보존 상태평가지표 개발, 성균관대학교 박사학위논문
이강문(2020), 회복탄력성 향상을 위한 평가지표 개발 연구, 대구한의대학교 보건대학원 박사학위논문
이종성(2006). 델파이 방법. 서울: 교육과학사
임그린 · 탁진국(2019), 회복탄력성 증진을 위한 정서중심 그룹코칭의 효과성 연구, 한국심리학회지: 코칭 3(1), 23
최희철(2013). 소방공무원의 직무스트레스와 우울과의 관계에서 회복탄력성의 효과. 한국사회복지교육, 23(23), 69-91.
한국이에피협회(2010), 재난심리지원 기초조사 및 전문요원 교재

개발 등 연구용역 결과보고서, 발간등록번호 11-1660000-000560-14.

Abramson, L. Y., Seligman, M. E. P., & Teasdale, J. D. (1978). Learned helplessness in humans: Critique and reformulation. Journal of Abnormal Psychology, 87, 49 - 74.

Aikens KA, Astin J, Pelletier KR, Levanovich K, Baase CM, Park YY, et al. (2014), Mindfulness goes to work: impact of an online workplace intervention. J Occup Environ Med 56(7):721-731

Andersen, J. P., Gustasfberg, H., Papazoglou, K., Nyman, M., Koskelainen, M., & Pitel, M. (2015, March). A potentially lifesaving psychophysiological intervention for special forces police officers. Poster presented at the annual conference of the American Psychosomatic Society, Savannah, GA.

Andersen, J., Wade, M., Possemato, K., & Ouimette, P. (2010). Association between posttraumatic stress disorder and primary care provider-diagnosed disease among Iraq and Afghanistan veterans. Psychosomatic Medicine, 72(5), 498-504. doi:10.1097/PSY.0b013e3181d969a1

Anderson, G. S., Litzenberger, R., & Plecas, D. (2002). Physical evidence of police officer stress. Policing: An International Journal of Police Strategies &

Management, 25, 399-420. doi:10.1108/13639510210429437

Arnetz, B. B., Arble, E., Backman, L., Lynch, A., & Lublin, A. (2013). Assessment of a prevention program for work-related stress among urban police officers. International Archives of Occupational and Environmental Health, 86, 79-88. doi:10.1007/s00420-012-0748-6

Arnetz, B. B., Nevedal, D. C., Lumley, M. A., Backman, L., & Lublin, A. (2009). Trauma resilience training for police: Psychophysiological and performance effects. Journal of Police and Criminal Psychology, 24, 1-9. doi:10.1007/s11896-008-9030-y

Aaron L. L., Pavithra et al.(2014). The Efficacy of Resiliency Training Programs: A Systematic Review and Meta-Analysis of Randomized Trials, PLoS ONE, 9(10).

Asmundson, G. J., & Stapleton, J. A. (2008). Associations between dimensions of anxiety sensitivity and PTSD symptom clusters in active-duty police officers. Cognitive Behaviour Therapy, 37(2), 66-75. doi:10.1080/16506070801969005

Austin-Ketch, T. L., Violanti, J., Fekedulegn, D., Andrew, M. E., Burchfield, C. M., & Hartley, T. A. (2012). Addictions and the criminal justice system, what happens on the other side? Posttraumatic stress symptoms and cortisol measures in a police cohort. Journal of Addictions Nursing, 23(1), 22-29. doi:10.3109/10884602.2011.645255

Backman, L., Arnetz, B. B., Levin, D., & Lublin, A. (1997). Psychophysiological effects of mental imaging training for police trainees. Stress & Health, 13, 43-48. doi:10.1002/(SICI)1099-1700(199701)13:1<43::AID-SMI716>3.0.CO;2-6

Beck, A. T. (1976). Cognitive therapy and the emotional disorders. New York, NY: International Universities Press.

Beck, A. T., Rush, A. J., Shaw, B. F., & Emery, G. (1979). Cognitive therapy of depression. New York, NY: Guilford Press.

Brunwasser, S. M., Gillham, J. E., & Kim, E. S. (2009). A meta-analytic review of the Penn Resiliency Program's effect on depressive symptoms. Journal of Consulting and Clinical Psychology, 77(6), 1042-1054.

Brunwasser, S. M., Gillham, J. E., & Kim, E. S. (2009). A meta-analytic review of the Penn Resiliency Program's effect on depressive symptoms. Journal of Consulting and Clinical Psychology, 77, 1042 - 1054.

Challen, A., Noden, P., West, A., & Machin, S. (2009). UK Resilience Programme evaluation: Interim report

(Research Report No. DCSFRR094). London, England: Department for Children, Schools and Families.

Chisholm D, Sweeny K, Sheehan P, Rasmussen B, Smit F, Cuijpers P, et al. (2016 May), Scaling-up treatment of depression and anxiety: a global return on investment analysis. Lancet Psychiatry, 3(5):415-424

Conrad, D., & Kellar-Guenther, Y. (2006). Compassion fatigue, burnout, and compassion satisfaction among Colorado child protection workers. Child Abuse & Neglect, 30(10), 1071-1080. doi:10.1016/j.chiabu.2006.03.009

Covey, T. J., Shucard, J. L., Violanti, J. M., Lee, J., & Shucard, D. W. (2013). The effects of exposure to traumatic stressors on inhibitory control in police officers: A dense electrode array study using a Go/NoGo continuous performance task. International Journal of Psychophysiology, 87(3), 363-375. doi:10.1016/j.ijpsycho.2013.03.009

Ellis, A. (1962). Reason and emotion in psychotherapy. New York, NY: Lyle Stuart.

Fowler, R. D., Seligman, M. E., & Koocher, G. P. (1999). The APA 1998 Annual Report. American Psychologist, 54(8), 537.

Funk, J. L., & Rogge, R. D. (2007). Testing the ruler with item response theory: Increasing precision of measurement for relationship satisfaction with the Couples Satisfaction Index. Journal of Family Psychology, 21, 572 - 583.

Galatzer-Levy, I. R., Madan, A., Neylan, T. C., Henn-Haase, C., & Marmar, C. R. (2011). Peritraumatic and trait dissociation differentiate police officers with resilient versus symptomatic trajectories of posttraumatic stress symptoms. Journal of Traumatic Stress, 24, 557-565. doi:10.1002/jts.20684

Gillham, J. E., Abenavoli, R. M., Brunwasser, S. M., Linkins, M., Reivich, K. J., & Seligman, M. E. P. (2014). Resilience education. In S. A. David, I. Boniwell, & A. Conley Ayers (Eds.), The Oxford handbook of happiness (pp. 609-630). Oxford, UK: Oxford University Press

Gillham, J. E., Reivich, K. J., & Jaycox, L. H. (2008). The Penn Resiliency Program (also known as the Penn Depression Prevention Program and the Penn Optimism Program). Unpublished manuscript, University of Pennsylvania.

Gilmartin, K. M. (2002). Emotional survival for law enforcement: A guide for officers and their families. Tucson, AZ: E-S Press. Institute of HeartMath. (2014). HeartMath certified trainer: Leader's guide. Boulder Creek, CA: Author.

Gordon, T.J.,, (1994), The Delpai method in futures research methodology. Washington, DC: American Council of United Nations University

International Association of Fire Chiefs (2015). National safety culture change initiative: Study of behavioral motivation on reduction of risk-taking behaviors in the fire and emergency service.

Jahnke, S. A., Gist, R., Poston, W. S. C., & Haddock, C. K. (2014). Behavioral health interventions in the fire service: Stories from the firehouse. Journal of Workplace Behavioral Health, 29(2), 113-126.

Jamieson, J. P., Mendes, W. B., Blackstock, E., & Schmader, T. (2010). Turning the knots in your stomach into bows: Reappraising arousal improves performance on the GRE. Journal of Experimental Social Psychology, 46(1), 208-212.doi:10.1016/j.jesp.2009.08.015

Jung YE, Min JA, Shin AY, Han SY, Lee KU, Kim TS, et al.(2012) The Korean version of the Connor-Davidson Reㄱsilience Scale: an extended validation. Stress Health, 28:319-26.

K. Tusaie and J. Dyer,(2004), "Resilience: A historical review of the contruct," Holistic Nursing Practice, Vol.18, No.1, pp.3-8.

Kahn J, Collinge W, Soltysik R. (2016 Sep), Post-9/11 veterans and their partners improve mental health outcomes with a self-directed mobile and web-based wellness training program: a randomized controlled trial. J Med Internet Res 27;18(9):e255

Kamins, M. L., & Dweck, C. S. (1999). Person versus process praise and criticism: Implications for contingent self-worth and coping. Developmental Psychology, 35, 835 - 847. doi:10.1037/0012-1649.35.3.835

Kimbrel, N. A., Steffen, L. E., Meyer, E. C., Kruse, M. I., Knight, J. A., Zimering, R. T., & Gulliver, S. B. (2011). A revised measure of occupational stress for fire fighters: Psychometric properties and relationship to psychopathology. Psychological Services, 8, 294 - 306.

Knudsen AK, Harvey SB, Mykletun A, Øverland S. (2013 Apr), Common mental disorders and long-term sickness absence in a general working population. The Hordaland Health Study. Acta Psychiatr Scand, 127(4):287-297

Knudsen AO, Øverland S, Aakvaag HF, Harvey SB, Hotopf M, Mykletun A.m (2010 Jul) Common mental disorders and disability pension award: seven year follow-up of the HUSK study. J Psychosom Res, 69(1):59-67

Lawshe, C. H. (1975), "A Quantitative Approach to Content Validity 1". Personnel Psychology. Vol. 28, No. 4, pp. 563-575.

Mansfield. C., Beltman, S., Broadley, T. & Weatherby-Fell, N. L. (2016). Building resilience in teacher education: an evidenced informed framework. Teaching and Teacher Education, 54, 77-87.

Masten, A. S. (2001). Ordinary magic: Resilience processes in development. American Psychologist, 56, 227 - 238.

Masten, A. S., & Reed, M. G. J. (2002). Resilience in development. In C. R. Snyder & S. J. Lopez (Eds.), Handbook of positive psychology (pp. 74 - 88). New York, NY: Oxford University Press.

McCraty, R., & Atkinson, M. (2012). Resilience training program reduces physiological and psychological stress in police officers. Global Advances in Health and Medicine, 1(5), 44-66. doi:10.7453/gahmj.2012.1.5.013

McCraty, R., & Tomasino, D. (2004). Heart rhythm coherence feedback. Rept. Boulder Creek, CA: HeartMath Research Center. Retrieved from http://heartmath.co.uk/wp-content/uploads/2012/10/hrv_biofeedback.pdf

McCraty, R., Atkinson, M., Lipsenthal, L., & Arguelles, L. (2009). New hope for correctional officers: An innovative program for reducing stress and health risks. Applied Psychophysiology and Biofeedback, 34, 251-272. doi:10.1007/s10484-009-9087-0

McEwen, B. S. (1998). Stress, adaptation, and disease: Allostasis and allostatic load. Annals of the New York Academy of Sciences, 840(1), 33-44. doi: 10.1111/j.1749-6632.1998. tb09546.x

Mykletun A, Harvey SB. (2012), Prevention of mental disorders: a new era for workplace mental health. Occup Environ Med

Norvell, N., Belles, D., & Hills, H. (1998). Perceived stress levels and physical symptoms in supervisory law enforcement personnel. Journal of Police Science and Administration, 16(2), 75-79. Retrieved from http://psycnet.apa.org/psycinfo/1989-31376-001

Ollhoff, J. (2012). SWAT: Emergency workers. Edina, MN: ABDO. Papazoglou, K. (2013). Conceptualizing police complex spiral trauma and its applications in the police field. Traumatology: An International Journal, 19(3), 196-209.doi:10.1177/1534765612466151

Peterson, C., & Seligman, M. E. (2012). Character Strengths and Virtues: A Handbook and Classification (New York: American Psychological Association & Oxford University Press, 2004). Reflective Practice: Formation and Supervision in Ministry, 32.

Reivich, K. (2015). Positive psychology and individuals [PowerPoint slides], January 30, 2015. Philadelphia, PA: The Trustees of the University of Pennsylvania.

Reivich, K., & Shatte´, A. (2002). The resilience factor: Seven essential skills for overcoming life's inevitable obstacles. New York, NY: Broadway Books.

Sanford, K., Backer-Fulghum, L. M., & Carson, C. (2015). Couple Resilience Inventory: Two dimensions of naturally occurring relationship behavior during stressful life events. Psychological Assessment, 28, 1243 - 1254.

Sapolsky, R. M. (2004). Why zebras don't get ulcers: The acclaimed guide to stress, stress-related diseases, and copingnow revised and updated. New York, NY: Holt Paperbacks.

Scanff, C. L., & Taugis, J. (2002). Stress management for police special forces. Journal of Applied Sport Psychology, 14,330-343. doi:10.1080/10413200290103590

Seligman, M. E. P., Ernst, R. M., Gillham, J., Reivich, K., & Linkins, M. (2009). Positive education: Positive psychology and classroom interventions. Oxford Review of Education, 35, 293 - 311.

Seligman, M. E. P., Rashid, T., & Parks, A. C. (2006). Positive psychotherapy. American Psychologist, 61, 774 - 788.

Seligman, M. E. P., Steen, T. A., Park, N., & Peterson, C. (2005). Positive psychology progress: Empirical validation of interventions. American Psychologist, 60, 410 - 421.

Smith, R. (2002). How to balance the two families of firefighting.

Sood A, Sharma V, Schroeder DR, Gorman B. (2014), Stress Management and Resiliency Training (SMART) program among department of radiology faculty: a pilot randomized clinical trial. Explore (NY) ,10(6):358-363

Strauss, H., & Zeigler, L., (1975), The Delphi technique and it susesin social science research. The Journal of Creative Behavior,9(4), 253-259.

Sweeney, P. (2014). When serving becomes surviving: PTSD and suicide in the fire service. Retrieved from www.crisisresponse.org

Victoria CM, Ortiz-Tallo M, Cardenal V, De La Torre-Luque A.(2014), Aug Positive psychology group intervention for breast cancer patients: a randomised trial. Psychol Rep, 115(1):44-64

Violanti, J. M., Andrew, M. E., Burchfiel, C. M., Dorn, J., Hartley, T., & Miller, D. B. (2006). Posttraumatic stress symptoms and subclinical cardiovascular disease in police officers. International Journal of Stress Management, 13(4), 541. doi: 10.1037/1072-5245.13.4.541

Violanti, J. M., Fekedulegn, D., Hartley, T. A., Andrew, M. E., Charles, L. E., Mnatsakanova, A., & Burchfiel, C. M.

(2005). Police trauma and cardiovascular disease: Association between PTSD symptoms and metabolic syndrome. International Journal of Emergency Mental Health, 8, 227-237. Retrieved from http://europepmc.org/abstract/med/17131769

Violanti, J. M., Vena, J. E., & Petralia, S. (1998). Mortality of a police cohort: 1950-1990. American Journal of Industrial Medicine, 33, 366-373. doi:10.1002/(SICI)1097-0274(199804)33:4<366::AID-AJIM6>3.0.CO;2-S

Vrijkotte, T. G., van Doornen, L. J., & de Geus, E. J. (2000). Effects of work stress on ambulatory blood pressure, heart rate, and heart rate variability. Hypertension, 35, 880-886. doi:10.1161/01.HYP.35.4.880

Werner, E. E., & Smith, R. S., (1982), Vulnerable but invincible, New York: McGraw-Hill.

Werner, E.(1995). Resilience in Development. Current Directions in Psychological Science 4(3): 81 - 85.

Williams, A., Hagerty, B. M., Yousha, S. M., Horrocks, J., Hoyle, K. S., & Liu, D. (2004). Psychosocial effects of the Boot Strap intervention in Navy recruits. Military Medicine, 169(10), 814-820.

Wilmoth, J. A. (2014, May-June). Trouble in mind. Special report: Firefighter behavioral health. NFPA Journal. Quincy, MA: National Fire Protection Association.

Wright, K. N., & Saylor, W. G. (1991). Male and female employees' perceptions of prison work: Is there a difference? Justice Quarterly, 8, 508-524. doi:10.1080/07418829100091191